洒落・滑稽の世界

福島　剛

FUKUSHIMA TSUYOSHI

神奈川新聞社

洒落・滑稽の世界

はじめに

子どもの頃、近くの神社に遊びに行って、軒下の砂地にできているすり鉢状の小さな穴をよく観察した。この穴に落ちたアリなどが、もがいて必死に穴から脱出しようとするが、乾いた砂の壁はずるずる崩落してしまうので容易に這い上がることができない。

この穴の主は、こうして落ちてきた虫を捕食して生きている幼虫で、その名を「アリジゴク」と言う。なんとも奇怪《きっかい》な名である。アリにすれば決して生還することができないのだから、まさに「地獄」に違いない。この幼虫を穴から掘り出してみるとこれまた奇怪で、地獄の鬼よりもむくつけき姿をしている。

この幼虫が羽化した成虫を「ウスバカゲロウ（薄羽蜉蝣）」と言う。アリを地獄に引き入れて生きていたものが、一転、薄い羽衣を着た天使のようなはかなく哀れな生き物へと大変身するのだから、見事な言葉の操りでドラマと言う以外にない。

私たちの身の回りには洒落た名や滑稽な名を持った動・植物や月の名（睦月、師走……）などがあるが、そこに私たちの祖先の言葉に対する限りない関心や強い執着、深い愛着を見て取ることができる。このような彼らの鋭い観察眼や豊かな言語感覚の底にはいつも遊び心やゆとりが流れている。

前回の『洒落に魅かれて』（幻冬舎ＭＣ）では、導入部に柳亭痴楽の「恋の山手線」を利用させてもらった。ほとんどが駄洒落《だじゃれ》とはいうものの、28もの山手線の駅を洒落でつないでいった才は非凡なものである。そこには日本の文化に流れ続けてきた言葉の技法が見事に生かされていた。それが掛詞で、自分の意志や感情を相手に豊かにまた有効に伝えることができる修辞法の一つである。

その掛詞を中心とした洒落の歴史を探るために、古事記・万葉にまで遡《さかのぼ》ってみたり対象を広げてみたりしたが、やや広げ過ぎたきらいがあった。

そこで今回は、我々の身近にある洒落た物の名を導入部とし、洒落が最高潮に達した平安の文学（源氏物語、枕草子、古今集）と滑稽や粋の世界が豊かに花開いた江戸の文化（川柳、江戸小咄）に焦点を絞ってみた。

そして最後に、私が最近目にし耳にした事例から洒落の効いたものや滑稽なものをランダムに拾い上げるとともに、私自身が創作したものなどを添えてみた。

「洒落」の「洒」の字は、目の粗い笊《ざる》に水を注ぐと水はサァーと流れ落ちる、その様子を描いたものである。洒落によって心のわだかまりもサァーと洗い流されることがある。とかくぎくしゃくとしがちな現代の社会を明るく豊かに生きるために、洒落は欠かせない。それによって人との関係も和やかになり、ものごとがスムーズに進むのだから。

この本が、心のわだかまりを少しでも洗い流し、爽やかな気分で人と関わっていくことのできる一つの契機になればと期待している。

イラスト　関戸弘文

目次

はじめに 2

1 洒落た名、滑稽な名の数々 11

(1) 植物の名の洒落と滑稽 11

(ア) 洒落た名を持つ植物 14

(イ) 気の毒な名の花々 23

(2) とりとめのない鳥の話 30

(3) 十二カ月の月の名の不可解 50

2 言葉の力 60

(1) 言霊《ことだま》の幸《さき》はふ国・大和 60

（2）私の人生を左右したもの 62
（3）町村元文部大臣の挨拶 65
（4）原晋監督の人となり 67
（5）詞戦《ことばたたか》い 68

3 平安古典に見る洒落と滑稽 73

（1）源氏物語の滑稽 73
（ア）近江の君　衝撃のデビュー 73
（イ）目くるめく恋の裏 82
（ウ）時めく猫 85
（2）皮肉躍る枕草子 89
（3）全ての歌が洒落ている古今集 101

（ア）季節は移り変わってやまない　104
（イ）恋の季節は目まぐるしい　106
（ウ）宴、華やかに　110
（エ）老いは必ずやってくる　114

4　江戸は庶民の時代　116

（1）川柳に見る江戸庶民の姿　119
（2）笑いの宝庫　江戸小咄　131

5　影をひそめた洒落・滑稽　148

（1）罪作りな子規、罪の上塗りをした茂吉　149
（2）難解すぎる近・現代短歌、あるいは平板でしかない歌ども　155
（3）お粗末「笑点」を分析し、お笑い芸能人世相を少し切る　158

6　よりよく伝えるために　165
（1）安倍首相の話しぶりって　165
（2）文章や話に工夫を　169
（3）ひっそりと咲く花　174
7　洒落に囲まれて　180
（1）新聞・テレビ、そして本から巷《ちまた》から　182
（2）私と洒落　192
（3）この章のまとめ　215
おわりに　219
参考文献　222

1　洒落た名、滑稽な名の数々

私たちの身の回りの植物や動物などには、洒落た名や滑稽な名の付くものが多い。また12カ月の月の名や土地の名、あるいは自然現象などでも細かく見ていくと、「うまいことを言うものだ」と感心させられたり、思わず微笑《ほほ》んでしまったりする言葉がある。そこに日本人の言葉に対する関心の深さや愛着、あるいは執念を垣間見ることができる。

それらの中から、ここでは植物の名と月の名を中心に見てみよう。

(1) 植物の名の洒落と滑稽

植物の名は実に多彩である。洒落た名があるかと思えば、逆になんとも不名誉な名を付けられてしまったものもある。「なるほど！」と感心させられたり、「お気の毒な！」と同情させられたりで、興味は尽きない。

先日、NHKが「植物に学ぶ生存戦略」という番組の中で「オオイヌノフグリ」を取り上げていたが、実に面白かった。語り手は俳優の山田孝之、お相手はアナウンサーの林田理沙。

林田アナウンサーが山田孝之に聞く。

「オオイヌは分かりますが、フグリってなんですか?」

あの気品漂う林田アナウンサーが、真面目な顔をしているので思わず笑ってしまった。まさか知らないわけでもあるまいが、あるいは芸大の音楽学部出のお嬢さんであるそうだから、本当に知らないのかもしれない。

と、山田孝之がまた真面目な顔をして得々と説明する。

「フグリとは陰嚢《いんのう》のことである」

でもフグリを知らない林田アナウンサーは、陰嚢もまた知らないのではないかと心配になった。

「オオイヌノフグリ」か「星の瞳」か

この花の名がおかしいのは、「フグリ」のみならず、それに「オオ」が付くところで、イヌのフグリが大きいのかとつい想像してしまい、同時に狸のものも8畳敷きという諺（江戸時代からある）さえ念頭に浮かんでしまう。誠に気の毒な名を付けられてしまったものである。

この花は、最近（明治時代）、日本に渡ってきたいわゆる帰化植物で、野道でも山道でもどこでも見ることができる。「イヌノフグリ」という元々不名誉な名を持った日本在来の種があるが、それよりも花が大きかったところから、「オオ」が付いたのだろう。そのために不名誉は倍加してしまった。

日本の在来種は、今では世の中の片隅に追いやられ、絶滅危惧《きぐ》種になり、人の目に触れなくなっているという。やはり日本のものは小さく慎《つつ》ましくていい。

「オオイヌノフグリ」とはいえ、花は小さく、7～8ミリしかない。この小さな花に付く実では、たとえ「オオフグリ」と言っても、しょせん狸にははるかに及ばない。図鑑で見ると実が二つに分かれていて、それが犬の陰嚢に見えないこともない。

一体、誰がこんなに小さなものに目を向け、しかも私など恥ずかしくて口にも出せないような名を付けたのであろうか。植物学者・牧野富太郎命名の説もあるが怪しい。

ただ、花は小さいとはいえ、よく見ると色はコバルトブルーで気品を漂わせていて、しかも愛らしい。別に「星の瞳」という名もあるらしい。本人にすればなぜこちらにしてくれなかったのかと歯がゆい思いをしているのではなかろうか。

このように不名誉な名に泣いている花、洒落た名を付けてもらって鼻高々の花、あるいは粋な名にかえって身をすくめている花など、多彩を極める。

それではまず洒落た名を持つ植物から見てみよう。

(ア) 洒落た名を持つ植物

[ジュウニヒトエ]

これはシソ科の多年草で、草地や雑木林などでごく普通に見ることできる。葉や茎はなんの変哲もないが、春になると茎の先端に淡緑色の小さな花を群がって付ける。それが上

女房装束のジュウニヒトエ

へ上へと重なって5センチも咲き上っていく。その様が、あたかも昔、女官が何枚も上に上にと着重ねたあの十二単《ひとえ》のように見えるところから付けられた名である。以前は目もくれなかったが、源氏物語に触れるようになってから、この花が宮中を膝行《しっこう》する女官たちに見え、「なるほど！」と関心を持って見ている。

「ムラサキシキブ」という低木もある。秋になると小さな紫の液果を群がって付ける。その実の紫色から、源氏物語の作者・紫式部を連想して名付けたものである。照り輝くような紫色は、確かに紫式部を思い起こさせないことはないが、世界に燦然《さんぜん》と輝く栄光の紫式部にははるかに及ばない。

ジュウニヒトエにしてもムラサキシキブにしても、平安王朝の優雅にあやかろうと名付けられたものだが、あまりに高雅で洒落た名になってしまい、本人たちの方がむしろ身をすくめているのではなかろうか。

［花筏（ハナイカダ）］

ミズキ科の低木で、山地に自生しているのをたまに見掛ける。

この木は、実に不思議な花の咲き方をする。初夏、なんと葉の中央に淡緑色の小花を付けるのである。この植物以外に、こんな咲き方をするものはまずないだろう。その意味で、花筏は植物界の異端児と言える。

「花筏」とは、元々は、桜などの花が散って、川面に敷き詰めたようにびっしり浮かんで流れる様を言ったもので、川面に敷き詰めた桜の花が、ゆったりと流れ下っていく姿は実に優雅で、「花筏」と言うに相応《ふさわ》しい。自然界の美の極致と言っても過言ではない。

その自然美の極致を、この異端児は自分の名にしてしまった。実際は葉の中央に花を付けるとは言っても、実に見栄えのしない小さな花で、人々は気にも留めずに流れ過ぎてしまう。秋になると、そのまま葉の中央に、黒い球形のつまらない実を結ぶ。これも名の方が勝っていて「名倒れ」と言われても仕方がない。

葉の真ん中に花実を付ける花筏

［ハンゲショウ］

ドクダミ科の多年草で、水辺に生じ、高さは60センチにも達する。漢字では「半夏生」

と書く。夏至から11日目（7月1日頃）を半夏生と言い、この頃になると、ハンゲショウの葉が奇妙に変装する。葉の半分あるいは一部だけが白く変色し、まるで化粧したように見える。元々「半夏生」という暦上から付けられた名ではあるが、私は、むしろ「半化粧」と書く方が相応《ふさわ》しい気がする。

わずかに化粧した
我が家のハンゲショウ

先日（6月29日）、何人かの仲間で横浜の三渓園に散策に行った。あいにくの雨催《もよ》いの日になってしまった。園の入り口で「今の見物《みもの》は何ですか？」と聞くと、「ハンゲショウが見頃です」と言う。なるほど小雨を受けて葉は鮮やかに化粧をしていた。

我が家にもご近所から頂いたハンゲショウがあるが、これが何年経っても化粧をしない。化粧しないハンゲショウは、半化粧ではないので、捨ててしまおうと思っているが、妻を捨ててしまうような気がして躊躇《ちゅうちょ》している。あるいは、「化粧しなくったって……」という自負心からか、はたまた「どうせ化粧しても……」という諦念《ていねん》からか。

［都忘れ］

なぜ「都忘れ」などという粋な名が付いたのか分からない。ある本には、承久《じょうきゅう》の乱（1221年）で佐渡に流された順徳天皇が、庭に咲いていたこの花を見て、その美しさに「都を忘れることができる」と言ったことによるとあったが、どうも眉唾《まゆつば》である。我が家にもあるが都を忘れてしまうほど美しい花とは思えない。

ついでに「忘れ」の付く草を挙げておこう。まず「勿忘草《わすれなぐさ》」が思い出される。これはヨーロッパ原産で観賞用として日本に入ってきたもので、春夏に藍色の小花を多数付ける。元々の名は、ギリシャ語で、その葉がネズミの耳に似ているところから付けられたという。また「forget-me-not（私を忘れないで）」とも言うそうだ。

これらの名に比べて、日本語の「勿忘草」がどれほど趣があることか。「勿」は禁止を表す字で「なかれ」。「そ」と応じて、たとえば「な鳴きそ（鳴いてくれるな）」などと使われる。元の意味を含ませながら日本語に訳した日本人のセンスの良さに、改めて感心させられる。

「勿忘草を　あなたに♪　あなたに♪」
などという素敵な歌もある。

また、「忘れ草」という名の花もある。ヤブカンゾウの別称で、この花を下裳《したも》や下袴《したばかま》の紐に付けると、「物思いや憂さを忘れることができる」と言われ、万葉集や古今集などでもよく歌材にされている。

まず万葉集から大伴旅人の歌。旅人が長官として太宰府に赴任していた時に、故郷・大和を偲んで詠った歌、

『忘れ草　わが紐に付く　香具山《かぐ》の古りにし里を忘れむがため』

故郷への思慕抑え難く、香具（久）山などの大和の景が脳裏を去来してしまって煩悶《はんもん》の日々を送っている。こんなことでは任務に支障を来すということであろう、大和を忘れるべく忘れ草を下紐に付けてみたという、真情を率直に歌った意味の取りやすい歌である。でも、果たしてこの程度で大和を忘れることができたのであろうか。

古今集の歌はもう少し技巧を働かせているし洒落ている。

『住吉と　海士《あま》は告ぐとも　長居すな　人忘れ草生ふと言ふなり　壬生忠岑《みぶのただみね》』

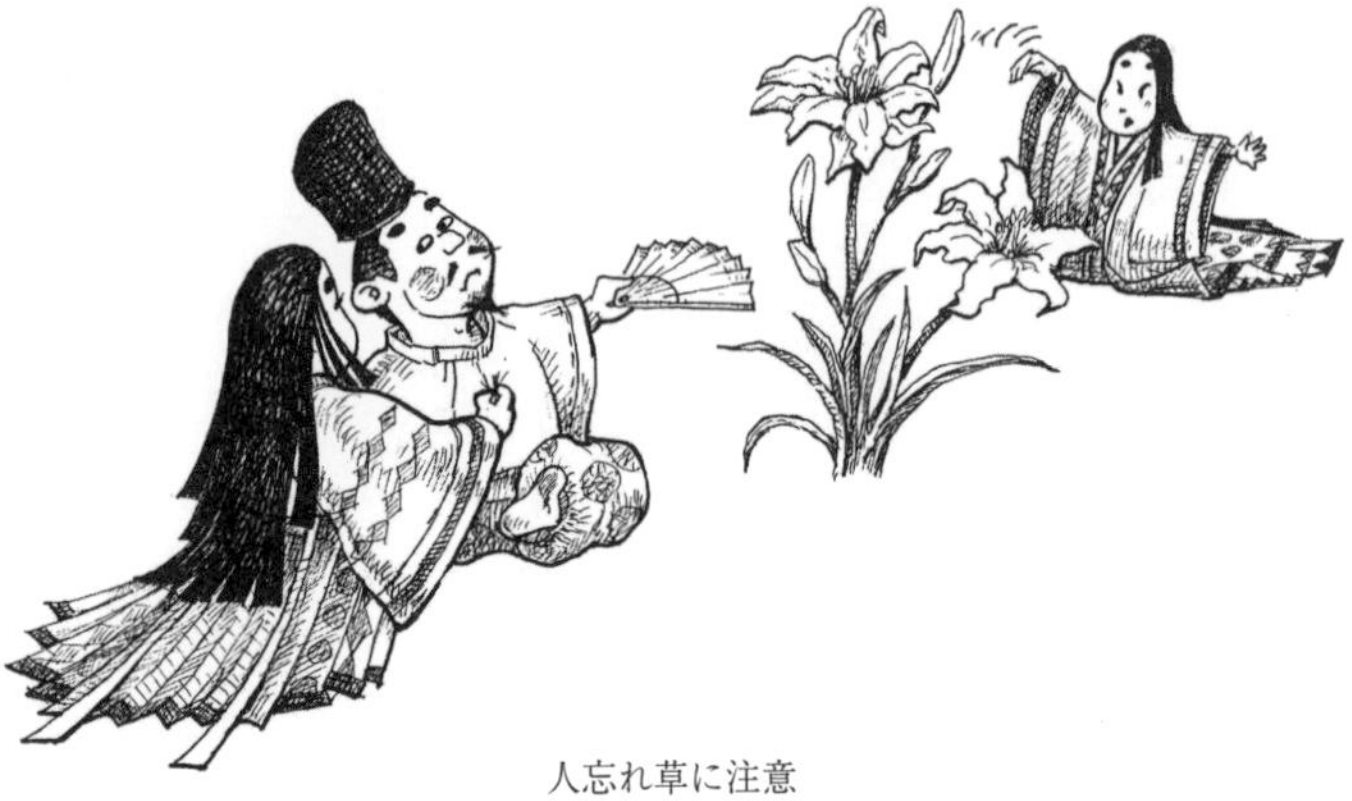

人忘れ草に注意

これは非常に凝《こ》った歌で、「住吉」は「住み良し」を掛けている。恐らく壬生忠岑《みぶのただみね》が女に成り代わって詠んだものであろう。愛する男が、住吉に単身赴任でもすることになったのだろう、女は心配して、

「住吉っていうところは、とても〝住み良い所〟って申しますわよ。でもたとえ海士（現地の女）がそう言ったとしても長居しないでくださいね。なぜって、あそこには人忘れ草が生えるって言いますから（私のことを忘れてしまうという意）」

と男の耳元に口を寄せて囁《ささや》いたのだ。こんな女を残して住吉などに長くいられるかと男は思うはずである。でも現地妻にも味があるし…。

その他、

ニリンソウ　律儀に一つの茎に2輪ずつ花を咲かせる。「二人は　ニリンソウ♪」と歌

にもあるが、時に3輪咲くこともあり、これを「不倫草」と言う。

ヒトリシズカ　群がって生えるので、とても「一人」静かとは言えないが、白い花は名のとおり清楚。鎌倉の八幡宮で静御前が義経を偲んで「しづやしづ　しづのおだまき」と踊った姿を思い起こす。

タツナミソウ　本当に波が岸に寄せるように咲く。我が家の濡《ぬ》れ縁の下に群生しているが、その時期にはいかにも大波小波が寄せている風情で、サーフィンでもしたくなる。

ヤブレガサ　大きな葉がびりびりに破れたように下垂して開く。その様が破れ傘のように見えるところから名付けられた。その様子は確かに「破れ傘」以外に名の付けようがない。これを傘代わりに差したカッパの姿を想像すると噴き出してしまう。

樹木には、花筏、ムラサキシキブ以外あまり洒落た名はないが、変わった名の樹木をいくつか挙げてみよう。

白波のタツナミソウ

ゴンズイ　木材にもならないし薪にもならない、役立たずの木。それが煮ても焼いても食えない魚のゴンズイを連想させるところから付いた名。でもどちらが先に付いた名か誰も知らない。いずれにしても響きが悪い。

アセビ　漢字で「馬酔木」と書く。馬が食べると酔っ払うからこの字を当てたというのだが、本当に馬が麻痺状態になるのだろうか、見てみたい。

コブシ　つぼみの形が拳に見えるからで味も素っ気もない。でも初春に咲く純白の花は誠に美しい。

マタタビ　実を食べると疲労回復になり、また旅に出たくなるからと言うが、これも眉唾。猫の好物だそうだが、猫もたまには旅をしたいのだろう。

ナナカマド　七回窯にくべても燃えない、つまり燃えにくい木というところからの命名というが、実際には火力が強いという。

アスナロ　「明日はヒノキになろう」が名の由来と一般的には言われているが、もしそうであるならば、これはなかなか洒落た名で夢がある。しかしこれは俗説という。そもそもヒノキにならなくても、材は良質で耐久性に富み、建材はもとより仏像などの材にもなるそうだ。

いずれもその木の用途や形態や特性をそのまま名にしただけで、洒落に欠ける。

(イ) 気の毒な名の花々

先の「オオイヌノフグリ」などは、気の毒な名の筆頭に挙げることができよう。そのほかにも不名誉な花の名は多い。

[ママコノシリヌグイ]

これまた気の毒な名を付けられてしまったものである。漢字で書けば「継子の尻拭い」となる。この名には何か陰湿で不穏な雰囲気が漂っている。

この植物の特徴は、棘《とげ》があるところで、茎の棘は逆向きになっていて、ほかのものにそれを引っ掛けて伸びる。葉は三角形でさして大きくはないが、この葉にも棘がある。

その棘のある葉や茎で継子の尻を拭うというのだから、これは尋常ではない。継子への憎しみが如実に出ていて、いじめの典型を見るような気がする。

実は平安時代は、継子いびりが全盛で、多くの物語が継子いじめを主題にしている。しかもそれがいつもベストセラーになっていた。
源氏物語でさえその話が出てくるのだが、源氏物語ができる直前の落窪物語などは、典型的な継子いじめの話で、そのいじめたるや凄まじい。継子を、ほかの部屋よりも一段低く「落ち窪」んだ暗い部屋に閉じ込めたことをもってしても、継子いじめの激しさが推測できる。具体的に挙げるのさえ憚《はばか》られるのでここでは省くが、あまりの継母のいじめに憤《いきどお》った、後にこの物語のヒロインである落窪姫と結婚した少将は、復讐の執念に燃え、継母以上の「継母の尻拭い」をして仇《かたき》を果たす。

継子か犬の尻拭い

とはいえ、「ママコノシリヌグイ」などというあからさまな下卑た名を、雅《みやび》な平安人が付けるはずはない。名付け親は、ふざけたことが好きな江戸人に違いない。

私は戦中の生まれで家族が多かった。便所は一つだったので大変な競争率になり、朝は毎日激しい便所争いが起きる。その結果、誰かが便所放浪者になって、裏の栗畑に用を足しに駆け込む。

当時のことであるから紙など持っていない。そこで手近の草の葉を使っては尻拭いをした。今思えば、あれはおそらくカラムシの葉ではなかったろうか。あの葉は大きいし、表面が滑らかであるからむしろ（これ洒落）気持ち良く拭けたのかもしれない。

［ドクダミ］

この名はとにかく印象が良くない。「ドク」は「毒」につながるし「ダミ」は「駄目」につながる。それにたった四文字だというのに、濁音が二つも使われていて響きも極めて悪い。このことに関して武川忠一という歌人が、面白い歌を詠んでいる。

『ずるずると抜くどくだみの　ど音とだ音が臭いを発す』

とにかくドクダミの繁殖力は逞《たくま》しく、地下茎をどこまでもしぶとく伸ばすから、駆除する時には大変で、この歌のように「ずるずると抜く」というほど簡単には抜けない。根は地下深く潜

意外に美しいドクダミの花

伏し、引っ張るとすぐちょん切れてしまう。しかも復元能力も逞《たくま》しい。

この植物の臭いたるや強烈で、それがいつまでも体に纏《まと》わり付く。あの臭いは「ど音」と「だ音」が発しているのだと武川忠一は言うのだが、真偽のほどはとにかく、分かる気がする。

そもそも濁音が入ると言葉の印象は悪くなる。茨城も「いばらぎ」と読むと、濁音が二文字になってしまい、県の好感度が下がる。本当の読みは「いばらき」だそうだが、私などは「いばらぎ」と言い慣れているから、茨城県の好感度を下げている張本人になる。

ドクダミの悪口ばかり言ってきたが、花は案外奇麗で、四弁の真っ白い花（苞《ほう》）の真ん中に黄色い蕊《しべ》を立て、清楚な感じで咲く。ただし蕊が大きくなると苞《ほう》とのバランスが崩れるから、鑑賞するなら咲き始めがいい。

それにこの草は、乾かして漢方薬とし、消炎や解毒剤として使われる。葉は腫《は》れ物に貼ると腫れが引くと言う。なんと「どくだみ」とは「毒」を「矯める（ためる　改め直すこと）」というところから来ているというのだから、徒《あだ》や疎《おろそ》かに、「ど音」だ「だ音」だなどと誹謗《ひぼう》中傷していると、体に毒が回ってくる。

［マムシグサ］

なんとも気味の悪い怖そうな名ではないか。サトイモ科の植物で、茎の模様がマムシの肌に似ている、苞《ほう》（花を包む葉）が鎌首をもたげているように見える、さらにじめじめとした薄暗い林に咲く、などこれだけ条件が揃《そろ》ってしまったのでは、「マムシグサ」と名付けられても仕方がないかもしれない。

しかし私は必ずしもそうは感じない。茎のマムシ模様はそれほど毒々しいものではないし、苞は薄緑で清楚で気品さえ湛《たた》えている。またすくっと伸びた苞は、遥《はる》か遠くを夢心地で眺めている乙女のようにも見える。しかもこの花の周囲にはいつも凛《りん》とした空気が漂っていて、私なら「人待草」と名付ける。

この花は秋になると、艶々とした真っ赤な実を群がって付ける。これも「マムシ」のイメージとは懸け離れている。

マムシグサ　比叡山横川にて

同じサトイモ科でも、ほかのものはみな良い名をもらっているのに、このマムシグサばかりが割を食ってしまった。

例えば、ほとんど同じ形の苞を持つ「ウラシマソウ」などは、随分洒落た名を付けてもらった。それは苞から長く垂れ下がっている糸状の花（の付属体）に由来する。その糸が、浦島太郎が釣りをしている様をイメージさせるからで、「マムシグサ」になるか「ウラシマソウ」になるかは、「糸」の差にすぎない。

そのほかにも、カラスビシャク（カラスが使う柄杓の形から）のようなかわいい名や、雪持草（雪のように真っ白な棒状の付属物を付け、そこが餅のように柔らかいから）のような優しい名、あるいは水芭蕉もそうだ。これも同じサトイモ科なのに、尾瀬を思い起こさせる詩情豊かな名を付けてもらった。

でも「ウワバミソウ」というもっと恐ろしい名の植物（全く別の種）もあることだし、マムシグサも我慢するしかあるまい。

その他、

ヘクソカズラ

子どもの頃、あの花を鼻の頭に付けてよく遊んだ。あんなに嫌な臭いがするのに、子どもは臭いには不感症。いずれにしても「へ」とか「ふん」とかは使わぬに限る。

ヌスビトハギ

この実は熟すとほかの物に付いて運ばれる。なぜ盗人萩なのか定かではないが、いずれにしても「盗人」では印象が悪い。

クサギ

葉や茎に悪臭がある。花は赤みを帯びた白色で意外に美しく、名からは想像できない。春の新葉は食べられるというが、名からすればいかにもまずそう〜。

などたくさんあるが、ここらで先に進もう。

茨木のり子の『一本の茎の上に』（ちくま書房）から。

野に咲いている花を見て、「あれは何という花？」と尋ねてみても、韓国では「さあ、知らない」という答えが返ってくることが多い。そういえば、詩の中に出てくる場合でも、「野の花」で済ませていることが多いのだった。いちいち名前なんか書いてはいない。

改めて日本語のことを思うと、かそけく咲いている野の花にも、なんと沢山の名前がついているのことだろう。雀のてっぽう、あつもり草、ほととぎす、ぺんぺん草、われもこう、ゆきわり草、まむしぐさ。

分類し命名せずんばやまずの勢いで、方言を加えたら、どれくらいになるものか。日本人の緻密《ちみつ》さ、韓国人のおおらかさ、それぞれである。そして訪れた韓国人の家で、花が活けてあるものも見た記憶がない。知り合いの韓国人に聞いてみると、花を活ける習慣がないのだと言う。

今まで挙げてきた洒落た名の花や気の毒な花々は、「忘れ草」を除いては、源氏物語にも古今集にも枕草子にも登場しない。これらもおそらく江戸人が名付け親に違いない。彼らは争って笑いを求めていたのだから。

(2) とりとめのない鳥の話

鳥には、植物のように洒落た名や滑稽な名はない。ハト、スズメ、カラス、ヒヨドリ、……などおよそ面白みのない名ばかりである。これは一体どういうことであろうか。人間と鳥との関係は、古来、それほど深いものがなかったからということだろうか。源氏物語に登場する鳥を見ても、雁、時鳥、鶯、千鳥、くいな、におどり(カイツブリのこと)などで、草花への熱い情に反して、鳥に対しては冷淡であったように思われてくる。あるいは平安人と鳥との関わりはあまりなかったのかもしれない。

鳥の命名の傾向を見ると、おおむね次の3点に絞られる。

① 鳴き声
② 体の色・形態
③ 習性

これを見たままありのままに、なんの洒落心も工夫もなしに名にしたものが多く、そこには面白味は生まれない。

それでは、この3点について見てみよう。まず、

①「鳴き声」

「鳴き声」から命名された典型としては、「ブッポウソウ」が挙げられよう。テレビなどでよく流されるから、その鳴き声がそのまま名になったことは誰にも納得できる。絶滅危《き》

ブッポウソウ（仏・法・僧）

倶《ぐ》種というから、「仏・法・僧」もいずれ絶えてしまうかもしれない。

「カッコウ」も、確かに「カッコウ」と聞こえる。その寂しそうな鳴き声が人が途絶えた様子をイメージさせるところから、「閑古鳥」という別名もあり、こちらは何か心に響く命名と言える。

「ヒヨドリ」も、「ヒーヨ、ヒーヨ」と鳴く。「ウミネコ」は、「ミュウ、ミュウ（ニャオ、ニャオ）」と猫の鳴き声そっくりで、いかにも「海猫」。私も三陸の蕪島や京都の伊根湾で聞いている。

「ウグイス」は「ウークーイー」と聞こえるところからという説があるが、どうもそうは聞こえない。

「サンコウチョウ（三光鳥）」は、「月日星ホイホイ」と鳴くというが、聞いたことがないから文句は言えないが、そんな鳴き方があるのだろうか。

「モズ」の語源は分からない。万葉集にも登場するから、随分古くから人々に親しまれてきた鳥のようである。当て字の「百舌鳥」は、百の鳥の声を真似るところから、と言われているが、私は晴れ渡った秋の空、木のてっぺんで精悍《せいかん》な顔貌《がんぼう》をして鋭く「キー、キー」と鳴く声しか知らない。

②「体の色・形態」

体色からの典型的な名は「キンクロハジロ」であろう。秋になると近くの泉の森公園にも飛来するカモの一種で、目の虹彩の部分が金色でキンキラしていて、その目を我々にくりくりと向ける。実に愛嬌があり、私の好きな鳥の一つだ。

それに体全体が黒で、翼の端が白、目の虹彩と合わせて「金黒羽白」。なんとも味気ない名になってしまった。私なら「キンクリ」と名付ける。

「オオルリ」はまさに名の通り瑠璃色。

「丹頂鶴」も分かりやすい。頭のてっ辺(頂)が、「丹」色なのだから、直しようもない。ただあの優雅な姿を見れば、もっと雅《みやび》な名を付けられなかったのだろうか、丹頂鶴に代わって抗議の一つもしたくなる。

「オナガ」は単に尾が長いから。「エナガ」は、尾が柄杓《ひしゃく》の柄のように長いからで、なんということもない。

③「習性」

「鶉《ウズラ》」は、すぐうずくまるからというが、まさか。「ツグミ」は、冬に盛んに鳴いていたのに、夏になると口を噤《つぐ》んでしまうからというが、夏になるとシベリアへ行ってしまうだけの話。いずれも当てこすりの命名としか言いようがない。

「ムクドリ」は椋木の洞に営巣するから、「ヒバリ」は、晴れた日に鳴くところからというが、洒落に欠ける。ヒバリなどはもっと良い名が付けられそうである。

「オシドリ」は、『大言海』にあるように「雌雄、相愛（お）し」から付けられた。いつも夫婦仲良く並んでいるように見えるが、ある動物学者に言わせれば、仲が良いからではなく、自分のメスを他のオスに盗られないように必死に守っているだけだそうだ。そうなるといつも仲良く並んで駅まで歩いていく夫婦も怪しくなる。

「ヨタカ」は、夜鷹（下等な売春婦）をイメージしてしまって、名誉なことではない。実際は夕方から活動して飛びながら虫を捕食する、いわゆる夜行性のタカだからこの名があるだけだという。

「アホウドリ」は漢字では、「阿房鳥」、「阿呆鳥」「信天翁」などと書くが、あまりうまく飛べないために乱獲されて絶滅の危機にあるというから、やはり「阿呆鳥」が相応《ふさわ》しい。事実「馬鹿《ばか》鳥」という異名もある。

鳥でやや面白いのが、その鳥の名に当てた当て字であろう。

「カイツブリ」のことを「にお」と言い、漢字で「鳰」と書く。「潜水」が得意で、何分でも水に潜っていて、突然あらぬところに顔を出す。オリンピックの平泳ぎの選手のようだ。そのために「水に深く潜（入）る」意を込めてこの字を当てた。これは国字で日本人の洒落心が見事に出た。

〔名誉な名をもらった鳥〕

これまで見てきたように鳥の名にはあまり褒められたものはなかった。ただ唯一この鳥だけは名誉な名をもらった。それは「ゴイサギ」。

私の行きつけの泉の森公園にも時にやってくるが、別に美しいわけでも鳴き声が良いわけでもない。それに「ゴイサギ」とは響きが悪い。濁音が多い上に「サギ」という言葉も良くない。最近はやりの「詐欺」を連想してしまう。同じサギでも「コサギ」などは実に美しい上に、こちらからは「詐欺」は浮かんでこない。差別と言われても仕方がないが、とにかくゴイサギは芳《かんば》しくない。

これはコサギ　中山光夫氏撮影

それにゴイサギは害鳥としても嫌われている。養殖場の金魚や鯉などを失敬してしまうという。動物園などにも平気で入り込んで、ペンギンの餌まで掠《かす》め取るというのだから呆れた鳥である。

ところが、こんな盗賊みたいな鳥も、漢字で書けば恐れ多くも「五位鷺」で、平家物語に登場するれっきとした歴史的人物（?）なのであった。

醍醐天皇が、神泉苑に行幸された時、水際に鷺がいたので、六位の蔵人を召して「あの鳥を捕まえてこい」と命じた。蔵人はいかにして捕まえるか思案しながら鳥のそばに寄っていったが、鳥はその気配を感じ取り飛び立とうとする。と、この蔵人、とっさに「宣旨《せんじ》である」と声を掛けた。驚いた鳥、その場にひれ伏したので、蔵人が捕らえて持っていくと、天皇は、

「宣旨に従ったとは偉い。このまま五位にいたそう」

と叙位された。以後、「五位鷺」という名になった。五位は、高級官僚で六位とは段違い。殿上人にすらなることがある。「詐欺だ」「盗人だ」などと言っていると、首をはねられる。なお「宣旨」とは天皇の命を伝えること。

［トラダンスの話］

相模原の小さな公園を散歩している時に、何人かのカメラマンが、ある方向に向かって盛んにシャッターを切っていた。トラツグミが来ているのだと言う。林全体が薄暗いのでよくは見えないが、確かに何者かがその中で動いている。やがて目が慣れてきて、おぼろげではあるが黒っぽい姿が見えてきた。何やら盛んに枯れ葉を突っつき回っている。落ち葉を蹴散らしている姿が、独特な動きで、体を上下させていかにもリズミカルである。

「あれをトラダンスって言うんだよ」

とカメラマンが教えてくれた。なるほどダンスを踊っているような仕草に見える。それにしても「トラダンス」とは言い得て妙である。

とにかく私にとっては初めての鳥なので、家に帰って早速、『広辞苑』を見てみたら、

「ツグミの一種で、ツグミよりやや大型、背面は黄褐色、腹部は黄白色、その背面と腹部全体に三日月形の黒斑がある」

トラダンス

とあった。この三日月型の黒斑が、虎の毛皮の斑紋に似ているところから付けられた名なのであろう。あの時は薄暗かったために黒斑が定かには見えなかったが、はっきり見えたらさぞかし面白かっただろう。何しろあの恐ろしい「虎」が「ダンス」をするというのだから、そのギャップが笑える。


ところで図鑑で見るトラツグミは、どちらかと言えばグロテスクで、滑稽などと言うにはほど遠く、むしろ不気味である。しかも鳴き方が独特で、『日本の野鳥』（小学館）には、

「さえずりが非常に変わっている。その声は遠くから聞くと、口笛に似た『ヒイー』という非常に細い声で、よく森の中の化け物やUFOの音と間違えられる。……間近で聞くと空気を震わすような『ビィヨオー』という声で、その迫力には驚かされる」

とある。確かに薄暗い森の中を歩いていて、

「ヒィー」「ビィヨオー」

などとやられたら、化け物かと思って怖気《おぞけ》立つことだろう。


そういえば、源 頼政《みなもとのよりまさ》（以仁王《もちひとおう》を奉じて平氏に反旗を翻《ひるがえ》し、平等院の合戦で自害した武将）が、紫宸殿《ししんでん》に現れた化け物「ぬえ（鵺）」を退治したという昔物語がある。この鵺は

「頭が猿、胴は狸、尾は蛇、手足は虎、声はトラツグミに似ていた」

というから、トラツグミの声もやはり昔から不気味な物の代表になっていたようである。

ただ、「頭が猿で胴が狸」などというのでは、どちらかと言えば鵺も滑稽な化け物で、「トラツグミの声」ばかりが不気味だったとしか言いようがない。しかもそのトラツグミも「トラダンス」をしているところを想像してしまえば、鵺も愛嬌のある可笑《おか》しな化け物でしかなく、源頼政の豪傑話も大分価値が下がってしまう。

【メジロかスズメかと問われれば】

私は躊躇《ちゅうちょ》なく、

「メジロ！」

と答える。なにしろ私が鳥のうちで一番好きなのがメジロなのだから仕方がない。次がカイツブリ、ホトトギス、ミソサザイ…ずっと後の方になってスズメが来る。でもスズメは嫌いではない。むしろ好きの部類に入る。

竹山宏の歌に、

気品あふれるメジロ　中山光夫氏撮影

『木犀《もくせい》の枝にメジロが来はじめて　雀《すずめ》は来ても来なくてもよし』

があるが、随分スズメにとって失礼な歌である。とはいえ私も本心そう思う。そもそもメジロとスズメとを比べること自体に無理があり、「そりゃあ、あんた……」ということになってしまう。

スズメも、その動作がかわいいから我が家の縁にやって来ると、いつも米粒を撒《ま》いたりしてなじみにしている。ところが残念というか悔《くや》しいというか、彼らは決してこちらに心からなじんでこない。いつも警戒の姿勢を崩さない。

いつか上野公園でパンくずを撒いていた人がいて、なんとスズメたちは彼の足元まで来て盛んに「ちゅん、ちゅん」パンをねだっているではないか。上野のスズメは、あの雑踏になれてしまって遺伝子が変わってしまった別種なのかもしれない。

スズメの姿はいかにも貧相で、鳥の中では一番やぼくさい。鳴き声だって何の特色もなく、「ちゅん、ちゅん」鳴くだけだ。同じスズメ科でもシジュウカラやエナガはあんなに奇麗だというのに、天の配剤は厳しい。

古来、スズメが歌に詠まれなかったのは姿の醜さもあるが、彼らが年がら年中お構いなしに人間のそばにまとわりついているからだ。平安人は変化するものに興味を寄せた。あれほど歌に詠まれた鶯《うぐいす》さえ、清少納言などは、春から秋までいつまでも鳴いていると、

「老い鳴きだ」

と言って鶯を非難している。まして年がら年中姿を見せているスズメなど、平安人は相手にしない。

メジロも結構長く人の目に触れはするが、スズメのように暢気《のんき》に人前には出てこない。木の枝から枝へピュ、ピュッと移動し、すぐにどこかに姿を隠してしまう。それにあの緑色のあくまでも澄んだ清冽《せいれつ》な色は、どんな鳥も及ばない。カワセミも、背の色はエメラルドグリーンの宝石のようで確かに美しいけれども、あまりにも芸術的でなじめない。

それに比べて、メジロの、愛らしくしかも気品のある姿は何ものにも代え難い。小さく

細い嘴《くちばし》、貼り付けたような目の周りの白、スマートで華奢《きゃしゃ》な肢《あし》、枝に止まって身じろぐ時の俊敏な動作……などなど思わず見とれてしまう。それに甲高く「ちゅる、ちゅる、ちゅる、ちゅる」鳴く声の愛らしいこと。子どもの頃よくメジロを飼ってあの声に聞き惚《ほ》れたものである。

にもかかわらず、平安文学には全く姿を見せない。スズメさえ源氏物語に出てくるというのに。あるいはあの時代にはメジロはいなかったとでも言うのだろうか。

ちなみに枕草子に登場する鳥を挙げておこう。

『鳥は、異所《こと》のものなれど、鸚鵡《オウム》、いとあはれなり。人の言ふらむことをまねぶらむよ』

とオウムから始まり、

「ホトトギス、クイナ、シギ、都鳥、ヒワ、ヒタキ、山鳥、鶴、頭赤き雀（?）、斑鳩《いかるが》、たくみ鳥、鷺、鴛鴦、千鳥、鶯、雀、鳶、烏」

とどこまでもメジロは出てこない。あれほど素敵なメジロが平安人の目や耳に触れなかったはずはない。その意味が分からない。今度、清少納言に会ったらその点を質《ただ》してみよう。

ところで、オウムが枕草子の最初に出てくるとは意外で、随分早くから日本に渡ってきていたということが分かる。江戸小咄にも出てくる。

ある男がオウムを飼っていて、

「俺の飼っているオウムは、俺の思っていることを話す」

と自慢する。「そんな馬鹿《ばか》なことがあるか」と聞きとがめた男が、「どれ、本当かどうか試してみよう」と彼の家を訪ねていく。

座敷に上がると、亭主は黙っているのに、

「よく来た」

「さんが（女中の名か）、お茶を持ってこい」

「さんが、煙草《たばこ》盆を持ってこい」

と何から何までオウムが言うではないか。呆れた客、煙草《たばこ》を2、3本吸っていると、

「もう帰れ」

それにしても冒頭の竹内宏の歌はおかしい。同感

もう　帰れ！

も同感なので、スズメの姿を見るたびにこの歌が頭を過《よぎ》り、思わず吹き出している。

［カラスとトンビは嫌い］

嫌いな鳥の筆頭がカラスで、次いでトンビ。

カラスは最近だんだん獰猛《どうもう》になっている気がしてならない。行きつけの泉の森公園では、4、5月頃になると「カラスに注意！」の立て札があちらこちらに立つ。彼らの子育ての時期で、気が立っているのかもしれないが、小癪《こしゃく》にも人間様を襲う。特に女・子どもは襲われやすく、突然頭上から急降下してくる。

ごく最近、立て続けに信じられない光景を目にした。それは衝撃的と言ってよい。なんと2羽の雀が、カラスに盛んに攻撃を仕掛けているではないか。もちろんカラスが悪い。隣の家の屋根に巣を作っていた雀のヒナをカラスが狙《ねら》っていたのだ。あの小さな体で空母に攻撃を掛けている。しかし空母は平然たるもの。するともう一羽が加わってこれも体当たりを開始した。さすがのカラスも、連合軍の執拗な攻撃に呆れたのか、あるいはヒナを捕るのが不可能と分かったのか、悠然と東の空に飛んで行った。

もう一つは、近くの公園でオナガ（私の町・大和市の鳥）がカラスを襲っていた。これ

空母　スズメる

もカラスが悪い。2羽のオナガが、カラスの口元を狙って猛攻撃を仕掛けている。カラスの口元には何やら大きな獲物が咥《くわ》えられていたが、オナガのヒナだったかもしれない。

もしそうだとすれば、いずれもあまりに残虐な事件である。

そんなカラスだというのに「カラスと一緒に帰りましょ♪」とか「カラス、なぜ鳴くの♪」とか、いかにも愛らしく優しく人間扱いされて童謡には描かれている。枕草子でも、夕暮れに飛んでいくカラスを「あはれ」と感銘深く描いているが、カラスは優しくも愛らしくも「あはれ」でもない。

もっとも源氏物語には、カラスの別の面が描かれている。光源氏がわらわ病《やみ》の治療に北山へ行った時、それはそれは美しい少女（後の紫上）を垣間見るシーンで、その少女が泣きべそをかきながら、お付きの女房に訴えている。

『雀の子を犬君（紫上お付きの童女）が逃がしつる。伏籠の中に籠めたりつるものを』

するとその女房がこう言う。

『いとをかしうやうやうなりつるものを（スズメの子が、だんだん大層かわいくなってきたというのに）。烏などもこそ、見つくれ』

「カラスがスズメの子を見つけると大変」と言うのだが、これは一体どういう意味であろうか。そう「カラスがスズメの子を見つけて、突っつき殺してしまうと大変」と言っているのである。カラスは平安時代から獰猛《どうもう》なやつであった。

トンビも結構獰猛である。いつか家族で江の島に行った時におにぎりを食べていると、突然空中から舞い降りてきたトンビに妻が狙われ、その爪で手に怪我をした。愛する妻を狙うとは許せない。

逗子では2度もおにぎりを取られた。狙われたのは1度目は孫。もう1度は散策仲間で賑やかに酒を飲みながら昼食を取っていた時である。Kさんがおにぎりを開いた途端にサッと持っていかれた。一同唖然《あぜん》として酒の酔いもさめ、その後、一斉に笑いこけた。いずれにしても、

「トンビがくるりと輪を描いた　ホーイのホイ♪」

なんて悠長なものではない。

パソコンでニュースを見ていたら、カモメ虐待の罪でイギリス警察に逮捕された男の話が出ていた。この男、ビッグマックを食おうとしていたらカモメが狙ってきたので、捕まえて噛《かじ》り付き投げ付けたのだそうだ。この逮捕事件を知ったイギリスの人々は、「いや、尊敬すべき行動である。警察はカモメを逮捕すべきであった」などと彼に同情する意見を寄せているという。

トンビもついでに警察が逮捕してくれればと思う。

［納得できるホトトギスの異字］

ホトトギスには次のような字が当てられている。

「時鳥、不如帰、杜鵑、蜀魂、子規、郭公、冥途鳥、無常鳥、魂迎鳥、夕影鳥、恋し鳥、霍公鳥（万葉集ではほとんどこの字が使われている）…」

まだまだあって挙げ切れない。

「不如帰」とか「冥途鳥」とか「魂迎鳥」とか、何やら陰気で不気味な名が多い。「キョッキョ、キョカキョ」という独特な鳴き声と、口の中が真っ赤であることなどが「血」や「死」をイメージさせるのだろう。正岡子規はカリエスを患ってよく吐血《とけつ》したので「子規」と名を付けたという。正岡子規主宰の俳句雑誌も『ホトトギス』である。徳富蘆花の小説にも、ヒロイン・浪子の病患を扱った小説『不如帰』がある。

そういえば私の義兄が亡くなった時、この鳥が鳴いていたのにはびっくりした。普段この辺りでは聞くこともなかったが、「キョキョ、キョカキョ、キョ、キョ」とはっきり聞こえた。義兄の魂を迎えに来たのかもしれない。

万葉集にはこの鳥ばかりが飛び跳ねている。古今集にも多く詠まれているが、古今集の頃は鶯の方が優勢になってくる。

花の名には洒落たものや滑稽なものが多かったが、鳥の名にはさして特色のあるものはないということが分かった。またその名の由来も分からないものがほとんどである。「どうしてトンビなの？　どうしてカラスなの？　どうしてスズメなの？」などと考えだしたら、頭に羽が生えだしてノイローゼになる。

鳥は、名よりもその鳴き声や動作や習性を見ている方がよほど興味深い。

ついでに昆虫の名について少しばかり触れておこう。昆虫の名の由来には案外面白いものがある。

ゲンゴロウやエンマコオロギの名には、いかにも何か曰《いわ》くがありそうな感じがする。カブトムシ（兜虫）やカマキリ（鎌切）などは、その姿を見れば、その名の由来がすぐに理解できる。

特に面白いのが、次の虫たち。

テントウムシ　枝の先端まで上り詰めると行き先を失い、もう上に向かって飛ぶしかない。そこで「天道さまに向かって飛ぶ虫」、つまりテントウムシ。

ウスバカゲロウ　透明な羽でひらひら頼りなく飛ぶ。そのはかない飛び方がかげろうをイメージさせる。その幼虫がアリジゴクで、この穴に嵌《はま》ってしまったアリは、どうもがこうが砂地獄から脱出できない。親子そろって適切にして洒落た名をもらったものだ。

ショウリョウバッタ　８月の旧盆の頃現れ、しかもその姿が精霊流しの船に似ているからという。

（3）十二カ月の月の名の不可解

（注・この項は漢数字を使用）

一月から十二月までの月には、「いちがつ、にがつ、さんがつ…じゅういちがつ、じゅうにがつ」以外に、

「むつき、きさらぎ、やよい…しもつき、しわす」

という和名もあり、今でも「やよい」や「しわす」などはよく使われる。「一月、二月、三月…十一月、十二月」で済むのに、なぜこんな名まであるのだろうか。しかもこれらの和名には、

「睦月、如月、弥生…霜月、師走」

というように漢字が当てられ、表記される。こんな事例は日本独特のものではなかろうか。ところがこの和名は、語源もよく分からないし、また当てられた漢字にも不審な点が多いのである。

それではここで、漢字が当てられている月の名に注目してみよう。

「むつき」には、「睦月」が当てられているが、正月には家族団欒《だんらん》、みんなで睦み親しむ月であるところからという説がある。でもひと月三十日間ずっと睦び親しんでいるわけで

もあるまい。そんなことをしていたら、仕事もできなくなるし金もなくなり、睦んでなんていられなくなる。

「如月」は、広辞苑には、
「『生更ぎ』の意で、草木が更生することを言う」
とあるが、これも納得がいかない。陰暦如月は今の三月、確かに草木の芽が萌《も》え始める頃ではあるが、四月の方が草木はさらに盛んに「更生」する。このことは公園歩きをしていて何度も体感しているから間違いない。

この月を「衣更着」と書く場合もある。寒いために着物をさらに着重ねるところからきたという。でも三月ともなれば、もうだいぶ暖かくなっていて、むしろ「着物を更に脱ぐ」のではなかろうか。さすがに広辞苑は、この「衣更着」説を誤りとしている。

以下、弥生（三月）、卯月（四月）、皐月（五月）、水無月（六月）、文月（七月）、葉月（八月）、霜月（十一月）どれもこれも語源も分からないし、なぜこれらの漢字を当てはめたのかも理解不能である。ただ長月（九月）だけは分かる気がするが。

最も可笑《おか》しな説が「師走」と「神無月」ではなかろうか。

十二月になると、檀家の人々は金策で忙しく、あちらこちら走り回らなければならなくなり、寺参りなどしていられない。すると困るのがお寺で、お布施《ふせ》がなくなるから生活が困窮し食えなくなる。仕方がないので、住職もあちらこちらお布施集めに走り回るようになる。

ということで「師走」は、「法師が走り回る」という意味であるという。これは風が吹けば桶屋がもうかる式のハチャメチャな論理であるのに、この説を信じている素直なお方が案外多い。

法師は、断食に慣れているから腹が減っても高楊枝で、金などなくても仏様の前で念仏を唱えているはずである。もっとも中には「般若、腹減った。ぽくぽく」または自虐的に「般若、腹満った。ぽくぽく」などとやっている人もいるかもしれないが。

とにかく、高徳でやんごとないお坊様を侮辱《ぶじょく》するような命名であるし、罰当たりこの上ないのだから、「師走」が「師が金策に走り回る月」であるはずはない。

ちなみに「師走坊主」という言葉が広辞苑に載っている。お盆に比べて歳末はお布施もないところから、「おちぶれ、やつれている坊主」のこととあるが、広辞苑までやんごとないお坊様を侮辱している。

「神無月」はもっと笑ってしまう。この月には、諸国の神様が出雲大社に集まるので、各地には神様がいなくなってしまう。そこでこの月を「神無し月」と言うようになった、という説である。そのため、出雲ではこの月を「神有り月」と言っているというのだが、これも帳尻合わせのような説で納得できない。

もしそうだとすれば、出雲に集まる神様はどのくらいの人数になるのだろうか。「やよろず（八万）の神」と言うから、千人や二千人ではない。何万、何十万ということになる。これだけの神々が出雲まで行くとなると、ＪＲが大変で、とても輸送手段がなくなる。

神無月　出雲は密に

それに出雲の国の人々が大迷惑である。何万、何十万もの神様が集まってきたのでは、十分な警備もまともなおもてなしもできなくなる。

それに神様は日頃、人々から、

「恋愛成就だ、家内安全だ、長寿だ、大学合格だ、痔を治して…」

などと言われて、信者が手を合わせて勝手気儘《きまま》な願い事をする。しかし、そんなに多種多様な願い事など叶《かな》えられるものではない。そのために自責の念に駆《か》られてノイローゼになっている神様も多いはずだ。そういう神様が出雲に集まってきて、一斉に愚痴られたのでは、出雲は騒音公害の坩堝《るつぼ》と化してしまう。

吉田兼好の『徒然草』二百二段に奇妙な文章があるのを見つけた。神無月についてこんなふうに記述されている。

『十月を神無月《かみなづき》と言ひて、神事に憚《はばか》るべきよしは、記したるものなし。本文《もとふみ》も見えず。…この月、万《よろづ》の神たち太神宮へ集まり給ふなどいふ説あれども、その本説なし。さることならば、伊勢には殊に祭月とすべきにその例もなし』

（十月を神無月と言って、神様がいないから神事を行うことを遠慮しなければならない、などと記した書物もないし、典拠となるべき古典もない。…この月はよろずの神様が伊勢神宮に集まるなどという説があるけれども、根拠となるものもない。もしそうだとすれば伊勢では十月を特別な「祭月」とするはずなのにそういった先例もない）

これは一体どういうことであろうか。

当時、十月のことを「かんな月」とは言っていたものの、それが「神無し月」であるという典拠となるべき文献はない、と言っているではないか。徒然草は鎌倉時代末期（一三〇〇年頃）になったものであるから、当然、平安時代にも「神無し月」という表記はなかったということになる。

また、神様の出張先も出雲大社だとばかり思っていたのに、徒然草では「伊勢神宮」と言っている。なんと当時あるいはそれ以前は「出雲大社」以外に「伊勢神宮」という説もあったということだ。驚天動地の思いがする。

江戸の狂歌にこんな歌がある。

『偽りのある世なりけり　神無月　貧乏神は身をも離れず　雄長老』

「すべての神様が出雲にご出張かと思ったら、貧乏神だけは我が家に残っていて少しも離れてくれない。なんと嘘偽りの多い世の中ではないか」ということで、江戸人も「かんなづき」が「神無月」であるなんて、てんから信じていない。

ということで、「かんなづき」を「神無し月」とする説も却下《きゃっか》せざるを得ない。

まして十二カ月の和名などは、はるか昔の神代の時代にできたものだから、今になってその語源を辿《たど》ろうとしても徒労に終わる。

池田弥三郎は『暮らしの中の日本語』（筑摩書房）の中で、

「語源の説明などというものは大変怪しいところがある。だから言語学者というような筋の通った学者というものは、軽々しく語源というものを説かない」

と述べ、神無月や師走のいろいろな語源説を面白可笑《おか》しく断罪している。

漢字が日本に伝来したのが、概《おおむ》ね西暦四〇〇年頃。その漢字が人々の間に広く定着するのには、二百年も三百年もかかったであろう。古代人は、

「むつき、きさらぎ、やよい…かんなづき、しもつき、しわす」

という古来からの日本語（和語）に、いかなる漢字を当てはめるか、盛んに頭をひねったものと思われる。できるだけ人々にインパクトのある漢字を当てようとして、日本人特有の洒落を働かせた。

「うづきは、卯の花が咲くから〝卯月〟にしようぜ」

「ふみづきは、七夕の時、祈《ね》ぎ事を書いた短冊を飾るから、その短冊（文）にちなんで〝文月〟にしようや」

などとあれこれ作ってみた。その結果、「卯月、文月…」などという漢字の月名が誕生したものと思われる。最初の頃はこれ以外にもいろいろな漢字が当てられていたであろうが、その中から日本人の感性や風俗・習慣に最も適合した当て字や洒落の効いたものが残ったと考えられる。我々はそういう経緯を鑑《かんが》みようとせず、当て字にすぎない「睦月」や「神無月」が大昔からあったものと錯覚してしまっている。

万葉人が和語にどの漢字を当て嵌《は》めるかで、いかに苦労したか計り知れない。万葉集の歌に当てられた万葉仮名を見ると、彼らの苦労の程が知れる。

例えば、天武天皇の皇子・大津皇子に関わる歴史を見てみよう。彼は、文武に長《た》けた偉丈夫であったが、持統天皇に謀反の疑いを掛けられ、死を賜る。彼が大和に送られるというその時に、姉である大伯皇女《おおくのひめみこ》が弟を悲しんで詠った歌

『吾勢祜乎　倭辺遺登　佐夜深而　鶏鳴露尓　吾立所濡之』

（我が背子を　大和へやると　小夜更けて　あかとき露に　吾立ち濡れし）

がある。

和語にすべて漢字を当て嵌《は》めた。ただ、「乎《を》」「辺《へ》」「登《と》」などは、単に漢字の音を借りたにすぎない。ところが、「遣」は「遣唐使」などで使われるように「遣《つか》わす」の意味を持ち、「大和へ遣わす」とこの漢字の意味を当てている。

この歌で面白いのが「鶏鳴」である。「鶏鳴」とは、暁（明け方）に鶏が鳴くことで、そのことから「鶏鳴」を明け方《あかとき》としたのである。見事な漢字を当てたもので、万葉人の洒落心には感心させられる。もっとも中国の『史記』に「鶏鳴狗盗《くとう》」の話があり、それを借りたのであろうが。

語源を探ることは容易なことではない。「かめ」は亀であり「つる」は鶴なのである。なぜ亀と言うかなぜ鶴と言うかになると皆目霧の中である。

奥村晃作の歌にこんなのがある。

「梅の木を梅と名付けし人ありてうたがはず誰も梅の木と見る」

鶴は鶴でいい、亀は亀のまま疑わずに使っていてもなんの問題も起こりはしない、ということだ。

先に、植物の名は江戸人の創作であろうと言ったが、漢字の月名は、恐らく平安人の遊び心から生まれたものであろう。「古今集」などで見られように、彼ら平安人の洒落心は半端ではなかった。

いずれにしても、我々の祖先が、言葉に対していかに深い関心と飽くなき執着と限りない愛着を持っていたかを、これらの月の名や植物の名によって知ることができる。

2　言葉の力

ここまで、洒落た草花の名や気の毒な草木の名、とりとめのない鳥の話、あるいは12カ月の月の名の不可思議などについて語ってきた。そこに日本人の言葉に対する関心や好奇心の深さ、あるいは探究心の強さを見ることができた。

それにしても彼らはなぜこれほどまでに言葉に対して固執し、洒落た名や滑稽な名を付けることに、また粋《いき》な表現に拘《こだわ》り、そのことに命を懸けるほど夢中になったのだろうか。

(1) 言霊《ことだま》の幸《さき》はふ国・大和

万葉集に、山上憶良のこんな長歌がある。

『神代より言ひ伝て来《つ》らく《く》、そらみつ倭《やまと》の国は、皇神《すめがみ》の厳《いつく》しき国、言霊《ことだま》の幸《さき》はふ国と、語り継ぎ言ひ継がひけり……』

歌の要旨は次の通りである。

「神代から言い伝えられてきたことには、日本の国は天皇が厳然としておいでになる国であり、また言霊によって幸せがもたらされる国である、と語り継ぎ言い継がれてきた…」

この山上憶良の歌を借りて、先の課題の結論をまず言っておこう。彼らが言葉に執着したのは、

『言葉には霊力があって、それによって、人々に幸福がもたらされる』

からである。

古代の人々は言葉には霊が宿ると信じてきた。彼らは言葉は現実を動かし、人の運命を左右するものと考えていた。良いことを言えば、良い結果がもたらされるし、悪いことを言えば、その逆の結果にもなる。そのために彼らは神託を信じ、卜占《ぼくせん》に頼った。

今でこそ神託や卜占に頼ることはないが、彼らの信じていた「言霊」は、いつの世にもまたどこの国にも生きている究極の真理なのであって、古代人の幼稚な思い込みと笑ってはいけない。なぜなら、時代や地域を超えて、我々は言葉によって勇気付けられたり自信を植え付けられたりすることもあるし、また幸せな気持ちにさせられたり、時には気力を削《そ》がれたり悲嘆のどん底に落とされたりすることさえあるのだ。

このような事実を見れば、言葉には「霊力」が宿っていると考えざるを得なくなる。

（２）私の人生を左右したもの

私の過去を振り返ってみても、人の言葉によって左右される繰り返しであったような気がする。

小学校６年の時の担任の先生は、青森県出身の方で、朴訥《ぼくとつ》とした話しぶりが面白く、昼食の後などには、みんな教卓の周りに集まって先生の話に身を乗り出した。我々を「ゾクッ」とさせたり、「あはゝ…」と笑わせたりしてくれた。訥々《とつとつ》とした青森弁で、しかも生き生きしていた。

話が面白いのみならず、先生の人柄も魅力的で、休みの日には我々をあちらこちら連れていってくれた。そこでまたさまざまな民話や怖い話などを聞かせてくれた。おそらく東北の民話（カッパの話）などであったかもしれない。

「先生っていいなあ、私も小学校の先生になろう」

という思いが、この時に芽生えた。

中学の担任は、数学の先生で実によく分かる説明をされた。１年の時のテストは０点近い成績ばかりだったのに、この先生に教わるようになってからというもの、２年以降の数

ほんまかいな

学のテストは満点を取り続け、高校の時には数学の勉強はあまりしないで済んだ。

「そうだ、数学の先生になろう」

と決意した。

先生は、戦中、パイロットとして南方に出征していた。暇な時には飛行機に石を積んで地上にいる牛めがけて落としていたなどと言っていたが、今思えば多分あれは嘘だろう。でも話が面白くつい惹《ひ》き込まれて聞いていた。あの話しぶりで数学も教えてくれていたのではないだろうか。とにかくよく理解できた。


高校の時には、現代文の先生に大変な影響を受けた。東大出で、話の上手さは絶品、国語の授業が来るのが待ち遠しかった。よく脱線したが、その脱線も尋常一様ではなかった。1年生になった

ばかりの頃の授業で、先生は、

「私は街を歩いていると、前から来る女の人を裸にして観る癖がある……」

などとやり出した。田舎出で純情可憐な高校1年生の我々には、聞くに堪えられない。みな下を向きながら、必死に聞いていた。


大学では、国文学の先生。大学受験用参考書などを出していて有名な教授であった。源氏物語の授業がまた素晴らしく、教室は50人、60人でいつも溢れていた。あまりに面白いので、ある時、愛しく思う人（もちろん教育大の学生ではない）を誘って一緒に授業を聞いた。ところがなんとこの時の講義の内容が、

「平安時代の女房は、十二単などといって、何枚も何枚も衣を重ねて着ていた。そんな彼女らは、小便をする時にはどのようにしたか……正答は、衣の下から竹の筒を差し入れ

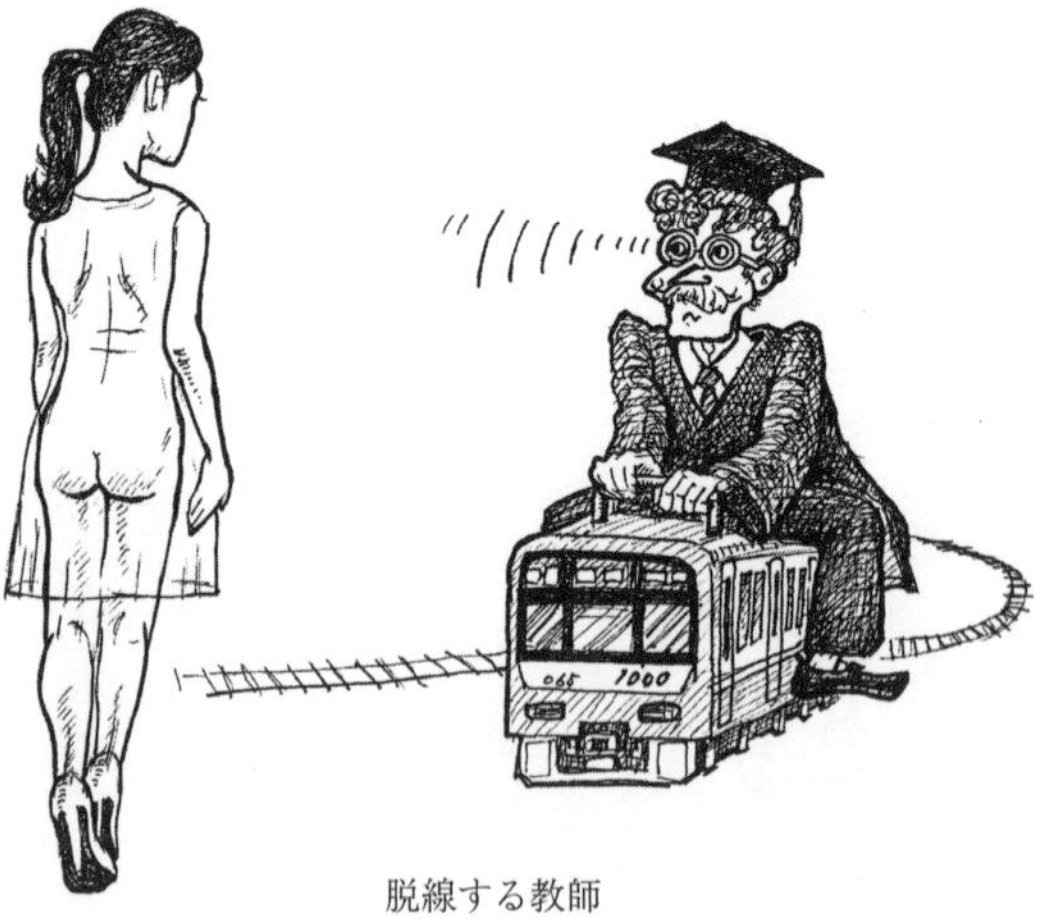

脱線する教師

て、した……」

という、とんでもないものであった。とんでもない時にとんでもない人を連れてきてしまったもので、愛しさもかすんでしまった。

私の進路志望は、終始「教師になる」ということには変わりはなかったが、小学校の先生から数学の先生へ、そして国語の先生から古典の先生へと、微妙に軌道修正させられた。皆、話の巧みな先生に突き動かされたものである。最終的には中学校の国語の教師に納まった。

今、この歳になって源氏物語に心酔《しんすい》しているのは、大学の時の先生（2002年に逝去）の言霊に導かれているのかもしれない。

(3) 町村元文部大臣の挨拶

全国公立学校教頭会が水戸で開かれた時に、町村信孝元文部大臣が挨拶された。10分にも満たない挨拶であったが、何百人もの参加者が、文部大臣の話に聞き入り聞き惚《ほ》れた。

彼の話で会場を埋め尽くした全ての教頭が、呆《ほう》けたようになってしまったのである。会場を出る教頭の一人一人が興奮状態に陥っていて、やる気と自信と希望で顔が火照《ほて》って見えた。

今になっては、どんな内容であったかは忘れてしまったが、教頭というものの職務の重大さを説き、その使命を語って、我々をその気にさせてしまったに違いない。

彼の話しぶりは、声高の力説形ではなかった。むしろ淡々と語っていたように記憶している。それなのに誰もが引き込まれてしまったのは、言葉の持つ力を最大限に生かし、それを巧みに操《あやつ》る話術にあったのだろう。あの時のテープがあればと残念でならない。

私は町村さんが、次期首相になればいいといつも思っていた。大派閥の首領ということだったし、彼の話しぶりにはいつも感心していたからである。それに容貌に品があった。とにかく顔の悪い者がいくら良いことを言っても、馬耳東風になる。

町村さんの話をもう一度、生の声で聞きたいと思っていたのに、惜しくも病を得て政界を退《ひ》かれてしまった。「彗星堕《すいせいお》つ」の思いがした。

その後、町村さんに匹敵する政治家を見ない。あえて言えば、小泉元首相であろうか。彼は、少々興奮気味に話しはするけれども、ゆとりがあったし面白かった。安倍さんは首相在任期間が1位だが、話は下から数える方が早いかもしれない。

（4）原晋監督の人となり

青山学院大学が箱根駅伝で4連覇を果たした。4連覇するということは、たまたま優秀な生徒が大勢いたということではあるまい。また、有名なマラソン大学のように有望な高校生を多数引っ張ってきたということでもあるまい。あそこまでの成績を残すのは、原晋監督の力量としか言いようがない。

たまたまパソコンでインターネットを見ていたら、原氏の本『勝てるメンタル』（共著、kadokawa）が紹介されていた。その中にこんな言葉があった。

「前向きな言葉で選手たちを奮い立たせるけれども、できないことに対しては言葉を発しない」

「日ごろ（会話や食事の時などに）、何でも言えるという心理的な安全性を選手に担保しておく。それによってポジティブ・シンキングに持っていけるように仕掛ける」

テレビに出演している原氏をよく見るが、静かな落ち着いた話しぶりで、恐らく「選手を奮い立たせる」時にも、あのように静かな語り口なのだろう。選手自らが気付かなかった長所をそれとなく気付くように話し掛ける。できないことをいくら「やれ！　やれ！」

と尻を叩いて責めても、人間には能力の限界があるのだから、そんな励ましは選手に挫折《ざせつ》感を覚えさせるだけであろう。

また、選手と監督との関係が、上下の関係ではなく、なんでも言える土壌をつくっておくことで、監督の言葉が素直に選手に吸収されていくのであろう。

それにこの人も顔が良い。原氏が監督をやっている限り、青山学院の時代は続くだろう。

(5) 詞戦《ことばたたか》い

「詞戦《ことばたたか》い」とは、『日本歴史大辞典』によれば、

「古代から戦国期の合戦に伴って行われた言葉のやり取り。合戦の劈頭《へきとう》や攻城戦など、両軍の対峙《たいじ》中に先祖以来の君臣関係の歴史を辿《たど》り、君に敵対することの不忠を非難するなど、味方の側の大義名分を述べたり、あるいは相手の出自の卑しさを軽蔑したりするとか、過去の戦いぶりの臆病さを暴露するとかいった形で行われた。相手を罵倒《ばとう》したりすることは、自軍の士気を高め、相手の戦意を喪失《そうしつ》させる常套《じょうとう》手段であった」

ということである。

平家物語の屋島の戦いにその場面が出ているので、少々長いけれども、生き生きとした詞戦いのありさまが、この歴史辞典の説明そのままに赤裸々に出ているので、挙げておくことにする。

詞戦いに登場する源氏方の選手は、伊勢の三郎義盛。平家方は越中次郎兵衛盛嗣《もりつぎ》である。

『盛嗣、舟のおもて（上）に立ち出でて、大音声を上げて申しけるは

「今日の源氏の大将軍は、誰人でおはしますぞ」

義盛、歩ませ出でて申しけるは

「こともおろかや（言うも愚かなことだ）。清和天皇十代の御末、鎌倉殿の御弟、九郎大夫判官殿（義経）ぞかし」

（盛嗣）「さることあり（そうだ、思い出した）。ひととせ、平治の合戦に、父うたれてみなし子にてありしが、鞍馬の児《ちご》して、後には、黄金《こがね》商人の所従（従者）になり、粮料（食糧）背負うて、奥州へ落ちまどひし小冠者が事か」

とぞ申したる。

（義盛）「舌のやはらかなるままに、君（義経）の御事、な申しそ（つべこべ言うな）。さて、わ人ども（お前たち）は、砺波山《となみ》のいくさに追い落とされ、からき命生きて、北

陸道に彷徨《さまよ》ひ、乞食して泣く泣く京へ上ったりしものか」

とぞ申されける。盛嗣かねて申しけるは
「君（天皇）の御恩に飽き満ちて、何の不足にてか、乞食をばすべき。さ言ふわ人どもこそ、伊勢の鈴鹿山にて、やまだち（山賊）して、妻子をも養ひ、わが身もすぐる（生活する）とは聞きしか」

と言ひければ、金子の十郎家忠（しゃしゃり出てきて）

「無益の殿ばらの雑言かな（悪口を言い合って何になる）。去年の春、一の谷で、武蔵・相模の若殿ばらの手並みの程は見てんものを』」

並みいる平家方・源氏方の者どもは、二人の詞戦いにその都度、

「そうだ！　そうだ！」

などと、拍手し喝采していたのではなかろうか。

なぜ、血吹き飛び、首刎《は》ね飛ぶ阿修羅《あしゅら》の戦闘を前にして、こんな悠長なことをしていたのか、現代の我々にはとても理解できないが、自軍の欠点を突かれると、どきりとして戦意をくじかれ、味方の由緒正しさや正当性、あるいは勇猛さを聞けば、勇気百倍で戦意が高揚したからに違いない。

言霊の幸はふ国

ところで、詞戦いの途中、那須与一宗高が矢をつがえ、よっぴてひょうと放つと、矢は過《あやま》たず盛嗣の鎧の胸板を貫き、互いの詞戦いはぴたりと止んでしまう。

その後、平家が源氏に次々破れていったのは、詞戦いによるものか、あるいは与一の弓矢によるものか、はたまた平家の宿命であったか。

ここまでのいくつかの事例からも、言葉の働きがいかに威力あるものであるか理解できたと思う。言葉は、人の運命を左右したり、その能力を引き出したり、やる気を奮《ふる》い立たせたり、自信と希望を持たせたりする。そして時には歴史をさえ動かす。まさに言葉には「霊」が宿っているとしか言いようがない。

万葉集や古今集、源氏物語や枕草子などの歌人や作者は、いかにしたら相手（読者）の肺腑《はいふ》を突くか、いかにしたら読者の心を動かすことができるか、そのためにさまざまな工夫をし、そのことに命を懸けた。言霊を信じていたからにほかならない。

次章ではそこに視点を当ててみよう。

3　平安古典に見る洒落と滑稽

(1) 源氏物語の滑稽

(ア) 近江の君　衝撃のデビュー

「源氏物語の滑稽」などと言うと、「源氏物語に滑稽な場面などあるの?」と不審に思う人が多いかもしれない。確かに源氏物語の主題といえば、

「光源氏の女性遍歴、男の身勝手に翻弄《ほんろう》される女の哀しみ、親子の離間の悲しみ、それとない権力闘争、あるいは因果応報」

などであって、どちらかと言えば深刻な印象が強い。しかし、実際には結構滑稽な場面や洒落が多く、それらがあちらこちらに散りば

紫式部　　切り絵　小山将一郎氏作

められていて、物語の世界をより深め、味わい深いものにしている。

もっとも笑えるのが、『常夏』の巻に登場する「近江の君」に関する物語ではなかろうか。近江の君とは、内大臣（かつての頭中将）が、若き日の放蕩《ほうとう》でできた娘で、内大臣邸にごく最近引き取られたばかりである。

「内大臣」とは、今の総理大臣だと思えばいい。源氏物語の舞台では、内大臣が実務上のトップとして扱われていて、光源氏も内大臣から太政大臣に上がっている。


さて、そういう貴族中の貴族である内大臣の娘ともあろう者が、実に滑稽で衝撃的なデビューをするのだから、そのギャップが笑える。

ある時、内大臣が近江の君の部屋に行ってみると、彼女は、五節というお付きの女房と双六を打っていた。

双六の遊び方は、

「二人が、それぞれ白黒十五個の駒石を持って、双六盤に対座する。２個の賽《さい》を筒に入れて盤に振り出し、出た目の数だけ盤に並べた駒石を進めていき、すべての駒石を早く相手の陣（これを内地という）に入ったものを勝ちとする」

というものだが、詳しいところは分かっていない。現代の絵双六のようにサイコロの目に従って駒を進めていき「ゴール（上がり）」に早く到着した者が勝ちというのとさして変わりはないのではなかろうか。

近江の君と五節との双六の打ち方は、頭から火の出るような凄まじい様相を呈していた。内大臣が戸の隙間から覗いてみると、近江の君は額に手を当てて、

『小賽！　小賽！』

と必死に祈っている。しかも信じられないほどの早口で。

おそらく現在の状況は、近江の君が勝ってい

近江の君の真剣

るのだろう。五節が、筒に入れた賽を振り出す番なのだが、小さい目が出れば近江の君の勝利は確定する。そのために「小さい目を出せ！　小さい目が出ろ！」と近江の君は祈っていたというわけである。

一方の五節も黙ってはいない。

『お返しや、お返しや！』

と怒鳴り返している。このひと振りで大きな目を出せば、逆転勝利となる、という緊迫した場面を迎えていたのだ。そこで「お返しや、お返しや！」と気合を入れて、筒を握ったままなかなか盤上に賽を振り出そうとしない。二人は何かを賭けていたに違いない。

まるで鉄火場の光景を髣髴《ほうふつ》とさせ、内大臣は、その浅ましくも情けない姿にあきれ果ててしまう。が、思わず引き込まれてしまって、細く開いた戸の隙間から部屋の中を夢中で覗く。

すると驚いたことに、近江の君の顔がどこからどこまで自分に生き写しではないか。これではいくら、

「こんなあばずれ娘は、俺の子ではない」

と追い出そうとしても、逃れるすべもない。彼はしみじみ嘆く。

『宿世心づきなし』

「情けない娘にこのわしが瓜二つとは、なんと情けないことか。前世の因縁が恨めしい」という意味で、日頃、貴族中の貴族として、政界のトップに君臨し並ぶものなき権威者として得意然としているのに、これでは権威も何もない、自尊心をひどく傷つけられ、宿世の哀れを禁じ得ないのももっとももなことである。

ここから、部屋に入っていった内大臣と近江の君との奇妙で滑稽な会話が始まる。その会話が全て型破りのハチャメチャなのである。内大臣が声を掛けると、近江の君は、日頃お父さんになかなか会えないことをこう表現する。

『手打たぬ心地し侍れ』

「お父さんに会えないことは、双六で言えば、良い手が出なかったのに等しいですわ」という意味である。先の「双六」の場面をここに持ち出したのだから驚く。彼女の頭の中にはまだ双六が渦巻いているのだ。

実はそれから10年後の『若菜下』の巻にも、ひょっこりこのあばずれ娘が顔を出す。しかもここでも双六と一緒に飛び出してくるのだから、紫式部の壮大な構想力と洒落心には驚嘆するしかない。その場面を簡単に紹介しよう。

准太上天皇である光源氏の妻の一人に納まっている明石の君は、元は播磨の国の受領の娘であった。須磨、明石を流浪中の光源氏に見出されて女の子を生み、この子が、やがて皇太子に入内する。一介の受領にすぎない者の孫娘がこれだけの地位を得るなどあり得ないことである。

孫娘の祖母に当たる明石の尼君にとっては、前代未聞の幸運で、世の人々はその幸運を羨《うらや》む。近江の君も、

『双六うつ時の言葉にも「明石の尼君、明石の尼君」とぞ、賽は乞ひける』

のである。つまり、近江の君が双六をする時には、

「あの幸せ人・明石の尼君のように好い目が出ますように！『明石の尼君！　明石の尼君！』」

と祈りながら、賽を振り出すというのである。どうやら近江の君はこの10年間、双六ばかりが頭の中で渦巻いていたようである。相手もあの蓮っ葉女・五節に違いない。

とにかく紫式部は、物語の事象と事象を緊密に結び付けて、いったん取り上げた事象は決して無駄にしない。これは誰にも真似のできる技ではない。源氏物語が世界に誇る文学であるという評価は、その内容の深さはさることながら、このような細かな点にまで綿密に配慮

し物語を構成しているところにもあるのである。

余談になるが、双六は、当時の貴族社会でも楽しみな遊びであった。枕草子にも、

『つれづれ慰むるもの、碁、双六…』

と出てくる。ただ、双六は、碁に比べるとあまり褒められた遊びではなかったのだろう、奈良時代から行われていたが、賭博《とばく》性が強いということで、持統天皇の頃（690〜697年）には、しばしば「双六禁止令」が出されている。

もちろん賭け碁も盛んに行われていて、源氏物語にも、桜の木を賭けて碁を打つ姉妹や、なんと自分の娘（皇女）を賭けて碁を打つ天皇まで登場する。

双六との差は、碁の方が偶然性に頼るのではなく頭を使うから、品位が保てるところであろう。また碁では、まさか碁石を振りかぶって「お返しや、お返しや！」などと下品な行動は取らない。どちらかと言えば淑《しと》やかな勝負である。

いずれにしても、勝負事は賭けるか賭けないかで、真剣味はまるで変わってくる。賭ければ人生に張りが出る。奥さま麻雀などは清廉潔白な遊びでございまして…と言うが、たぶんチョコレートくらいは賭けているはずである。

麻雀歴70年の私は、孫にも小さい時から教えている。彼らは我が家にやって来るなり、

「おじいちゃん、やろ！」

と言って雀卓をそそくさと運んでくる。終わった時には、いつも私が大負けしている。なぜならつい褒賞を出したりするからで、この貸しはいつか取り返してやる。


さて、先の『常夏』の場面にもう一度戻ろう。そこでは内大臣と近江の君の可笑《おか》しなやり取りがさらに続く。彼女は、「父内大臣に仕えることができるなら、

『御《おほみ》大壺取り』

も厭わない」と、例の超早口で言う。「お父さんのためならお便器掃除でもなんでも致します」と、こともあろうに「便器」を持ち出した。さすがの内大臣も笑い出してしまって、

「いや、わしの便器掃除はとにかく、孝行しよ

検事長も血走る

うという気持ちがあるのだったら、その早口をなんとかしてくれ。そうすればわしの命も延びるというもの」

と内大臣まで近江の君のペースに嵌《はま》ってしまう。

内大臣は、自分の御大壺《おほみ》の掃除をされたのではたまらないと思ったのだろう、近江の君を、里帰りしている長女・弘徽殿女御《こきでんのにょうご》の女房にしてやろうと提案する。すると彼女は大喜びして今度はこう言う。

『いと嬉しきことにこそ侍るなれ。…（女御の）許しだに侍らば、水を汲み（頭に）いたゞきても、つかうまつりなむ』

「水を汲み」は、仏典の言葉で、「薪を割り水を汲むような苦労をしてでも師に仕える」という意味である。先に「御大壺《おほみ》」を出したかと思えば、今度は一転して、尊い仏の言葉を持ち出して「姉・女御に全身全霊で仕えまつる」と言うのである。

「御大壺《おほみ》取り」にしても「水を汲み」にしても、場違いでハチャメチャな表現ではあるが、この女、馬鹿《ばか》ではない。

源氏物語には、3人の奇女が登場して笑わせる。もっとも知られているのが「末摘花」

であろう。鼻が長く、しかもその鼻のてっぺんが末摘花（紅花）のように赤くなっているという超醜女《しこめ》である。もう一人は、随分の老齢だというのに、若き光源氏や頭中将と恋のさや当てを演じる好色女「源《げん》の典侍《ないしのすけ》」である。これらの女が物語に花を添える。

その中で、近江の君は、恐ろしいほどの早口であり、軽薄で礼儀知らずの恥知らずのおっちょこちょいではあるが、愛嬌があって憎めない。それは紫式部の温かい目が彼女に注がれているからかもしれない。

(イ) 目くるめく恋の裏

源氏物語では、目くるめく恋の歓喜や官能を直接描くことはない。むしろ恋とは不即不離の関係にある滑稽性や悲劇性に鋭い目を向けることが多い。光源氏を中心とするそんな恋模様を探ってみよう。

まずは光源氏の究極の恋。

彼はこともあろうに、父桐壷帝の寵妃《ちょうき》であり義母である藤壺宮に恋い焦がれ、その虜《とりこ》になってしまう。そしてついに禁断の園に迷い込んで行く。宮とは3度の密会をしているが、

18歳の夏の2度目の逢瀬を見てみよう。光源氏はこの恋の成就に歓喜してこんな歌を詠む。

『見てもまた逢ふ夜まれなる夢のうちに　やがてまぎるるわが身ともがな』

（今こうしてあなたと逢ってはいるが、再び逢う機会などめったに訪れることはないでしょう。であるならば、夢のようなこの歓喜の中に消えていってしまう我が身であったらいいのですけれど）

究極の愛の絶唱と言えよう。

ところが、この逢瀬の翌朝の様子がこう描かれる。

『命婦の君ぞ、御直衣などは掻き集め、もて来たる』

「命婦の君」とは藤壺宮お付きの女房のことで、「御直衣《なほし》」とは光源氏の着ていた着物のことである。命婦の君が、光源氏の脱ぎ散らした直衣などを掻《か》き集めて持ってきてウロウロしている、という図である。つまり、光源氏は、昨夜の官能のままの姿で、直衣も着ず、裸同然で御帳台（寝台）から出てきて恍惚《こうこつ》としているというわけである。先の歌「見てもまた」は裸同然の姿であの世に行きたいということであった。

紫式部は、究極の愛の裏で演じられる、最高貴族のあられもない姿からも目を離さない。この逢瀬で子（後の冷泉帝）までできてしまう。

3度目の逢瀬の時には、子（後の冷泉帝）の将来を憂えた藤壺宮に徹底して拒絶されてしまう。それでも追いすがる光源氏の姿は、はたから見ればまるでピエロのような振る舞いに見える。宮に逃げられても諦《あきら》めず、翌朝、再び挑《いど》んでいく。光源氏が宮を引き寄せると、宮は衣を脱ぎ捨てて、いざって逃げようとするが、

『心にもあらず、御髪の（衣に）とり添へられたりければ、いと心憂く、宿世のほど思し知られ』

という醜態を演じることになる。光源氏が握って離さない衣を脱ぎ捨てて逃げようとしたが、その思いもむなしく、衣に髪がまつわり付いてしまった。これでは宮はいかんともし難い。この場面を映像で見たならどうなるのか。2度目の逢瀬よりも、さらに浅ましさはエスカレートしている。

この後、宮は源氏の激しい求愛を怖れて出家していく。

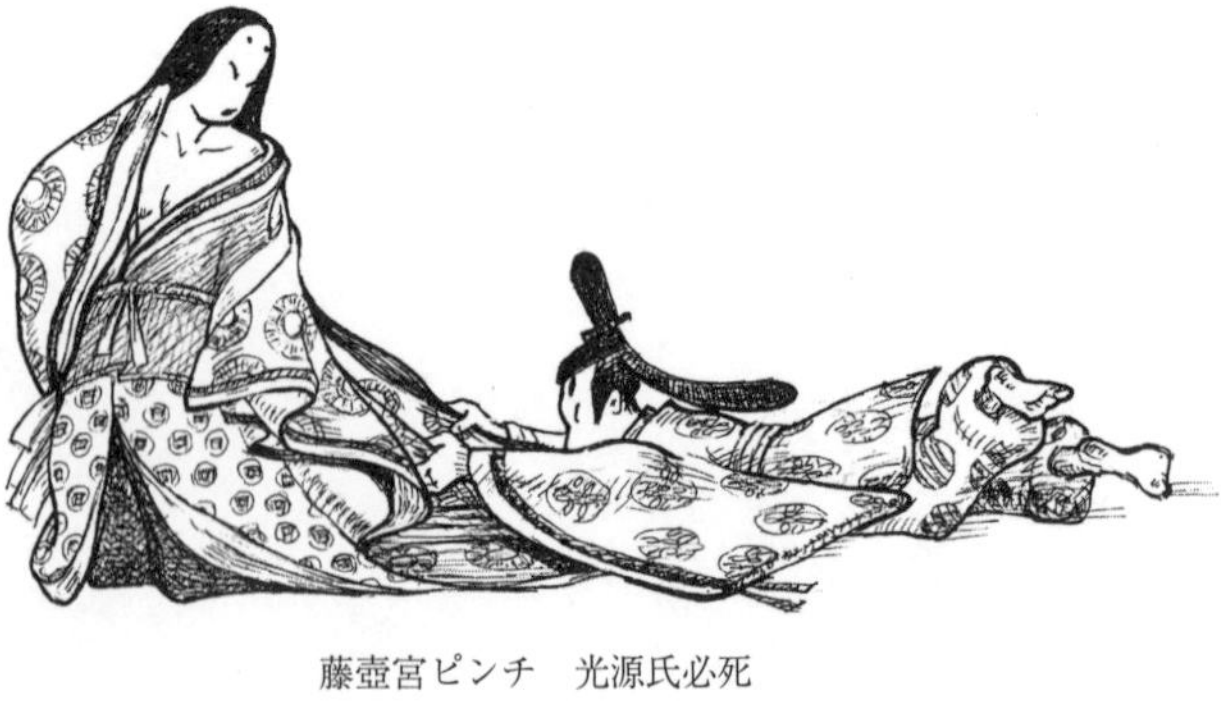

藤壺宮ピンチ　光源氏必死

朱雀帝の寵姫・朧月夜とは、信じられないような恋の冒険をする。なんとしたことか、彼の最大の政敵である右大臣（朧月夜の父）の邸《やしき》でアバンチュールを楽しむのだ。さすがにこの時は、現場を右大臣に押さえられてしまう。

この場面がまたなんとも滑稽で笑ってしまうのだが、割愛しよう。

右大臣に露見してしまったために、光源氏は須磨・明石へと自ら流離《さすら》う身となる。恋にはそんなリスクが伴うというのに、それをも省みさせない魔力がある。

（ウ）時めく猫

さて、藤壺宮との不倫のおよそ30年後、今度は光源氏に因果は巡ってくる。正妻・女三の宮に裏切られてしまうのだ。女三の宮の相手は、内大臣の嫡男・柏木。

女三の宮と若き柏木の恋の始まりは「猫」である。

六条院で蹴鞠《けまり》が行われていたが、柏木は、競技の合間に寝殿の階《きざはし》のところで休憩していた。すると、猫が飛び出してきて、その首に付けられていた紐が御簾《みす》に引っ掛かり、御簾をまくり上げてしまう。

あろうことかそこに光源氏の正妻・女三の宮の立ち姿が見えるではないか。柏木はこの一事で一気に宮に恋心を昂《たか》ぶらせていく。

その後の柏木の恋に狂った一挙手一投足は、見るに忍びないほど愚かで滑稽を極める。猫が、宮との関係を媒介してくれたと思った柏木は、その猫を掠《かす》め取り、自邸で毎晩抱いて寝る。なにせ猫の声が、

「ねう、ねう（寝よう、寝よう）」

と聞こえてくるというのだから救いようがない。女房たちはその姿を見て、

『あやしく、にはかなる猫の時めくかな』

（最近やってきたばかりの猫だというのに、不思議に柏木様の寵愛を受けることよ）

とささめき合う。「時めく」は、「寵愛を受ける」という意味で、この場合は、猫が柏木の寵愛を受けるというのだからおかしい。女房たちがこそこそとしかも強烈な皮肉を言うのも無理はない。

この異常な柏木の行動は、ただでは済まない不穏な空気をたたえている。案の定、この後、柏木は宮と密通し子どもまでできてしまう。ことは光源氏の知るところとなり、二人は破滅の道を辿《たど》っていく。柏木は悶死《もんし》し、女三の宮は出家する。とともに、さすがの光源氏も、因果の恐ろしさに怯《おび》え、精彩を失っていく。

因果は巡る

恋には、本人たちの真剣さとは裏腹に、いつも滑稽と危険とがない混ぜになっている。天賦《てんぷ》の才能の持ち主であり思慮深いはずの光源氏でさえ、浅ましい姿を曝《さら》すし、童女のように幼い女三の宮でも、柏木という男の一途な恋に翻弄《ほんろう》され、若き身空を仏の世界に逃避せざるを得なくさせる。

「恋は思案の外《ほか》」と言う。恋には常識では律することのできない不可思議なものがあって、体面も道徳も関係なく、滑稽なそして危険な行動に突っ走っていても自己を顧みることができない。

紫式部は、そういう逃れられない人間の性《さが》を冴《さ》えた目で眺め、時には滑稽に時には巧みな言葉さばきと構想によって容赦なく抉《えぐ》り出し暴《あば》き出していく。読者は、この物語を読みながら、恋する男女の浅ましい姿を嘲笑の目で見ながらも、物語の世界に引き込まれていく。自分にもそんな愚かしい行動があるにもかかわらずそれはさておいて、紫式部の言葉の罠《わな》に翻弄《ほんろう》されてしまう。

一番恐ろしいのは紫式部。

（2）皮肉躍る枕草子

源氏物語の滑稽について述べてきたが、ここではくすりと笑える皮肉や、なるほどと同感させられる内容が満載されている枕草子について見ていこう。林望の『リンボウ先生のうふふ枕草子』にこんなことが書かれていた。

「『枕草子』は、決してわかりにくい難しい『文学』ではなく、むしろ抱腹絶倒の笑いの話であったり、そりゃいくらなんでも言い過ぎではないかと思うくらいの言いたい放題であったり、時にはエッチでびっくりさせられるし、そうかと思うとしんみりホロリとさせてくれる」

これらの内容に該当するいくつかを適宜拾い出してみよう。

清少納言

［悪口ほど楽しいものはない］

『人の上言ふを腹立つ人こそいとわりなけれ。いかでか言はではあらむ。わが身をばさしおきて、さばかりもどかしく、言はまほしきものやはある』

（人の悪口を言うといって腹を立てる人がいるが、はなはだ訳の分からないことだ。どうして言わないでおられようか。自分のことはひとまず棚に上げておいて、悪口のほかに、言いたいことなどあるだろうか）

我々は寄ると触《さわ》ると人の噂をする。初めこそごく支障のない当たり前のことを言っているが、そのうち盛り上がってくると核心に入っていく。核心とはもちろん悪口である。人の悪口ってなぜあれほど面白いのだろう。恐らく「自分は、あの人ほどでもない」という優越感をもたらすからかもしれない。

自分がいない席では恐らく自分も悪口を言われているはずなのに、そのことは「棚に上げて」、とにかく悪口に口角泡を飛ばす。

それにしても「もどかしく、言はまほしきものやはある」とは強烈である。「もどかし」とは「非難したい」という意味ではあるが、「じれったい」という心理も込もっている。つまり「言いたくて言いたくて、もどかしくなるほど」という心理状態である。「や」は、「悪口を言うことほど楽しいことは、ほかには絶対ない」という意味の反語で、反語によって意味は一層強められる。とにかく人の悪口はうずうずするほど言いたいものなのである。

清少納言の強烈・辛辣《しんらつ》なのは、それほど面白い悪口なのに、

「それを非難する人がいるが、気が知れない」

と言うところであろう。悪口ほど面白いものはないのだから、善人ぶったり説教がましいことを言ったりして何になる、と反論する。その意気込みは凄《すさ》まじい。

この後、「親しい人については気の毒だから我慢して言わないだけの話であって、そうでなければ話に花を咲かせて、笑いものにしてしまうだろう」とさらに辛辣《しんらつ》なことを言っている。

江戸小咄にも、

「お前は人の悪口は言わない感心なやつだ」と褒《ほ》められた男、

「はい、言わないように心掛けています。隣のおじさんなどはいつも言っています」

というのがあるが、語るに落ちた。


『憎き者のあしき目見るも、罪や得らむと思ひながら、またうれし』

（憎らしい人が不幸な目に遭うのも、神罰を受けるかもしれないが、これまたうれしいことだ）

これは本当に罰当たりな考えだ。が、他人の不幸を見聞きするのはなんとはなし、楽しい。表面では「なんと可哀そうな立場に…」「なんと悲惨な目に…」などと涙を流さんばかりに装うが、心の底では「私でなくってよかった」とほくそ笑んでいる。人の救いようのない悲しい性《さが》と言える。この段は「うれしきもの」を列挙した段であり、自分にとって大切と思う人が患っていたのが、

・治った
・愛する人が人に褒《ほ》められた
・人との競争に勝った

など、ごく当たり前の嬉しいことどもを列挙していた中で、突然、「憎き者の…」と来るのだから、びっくりする。思わず本音が出てしまったのだろう。人の不幸を本心から悲しむことなどなかなかできるものではない。

『にげなきもの。下衆の家に雪の降りたる。また、月のさしいりたるも口惜し』

下衆の家（我が家）に降る雪

清少納言は、中宮・定子に仕えた高級女官であるから、貴族の目でしか物を見ない。一般の庶民などは眼中にない。そんな彼女にとって、雪のように美しく気品あるものが、しがない下衆の家に降るのなど許せない。また月が煌々《こうこう》と差し入っているのも癇《かん》に障る。現代の我々の感覚からすれば差別も甚《はなは》だしく、彼女たちが一般庶民といかに乖離《かいり》していたか信じ難いものがある。当時の貴族の目からすれば当然の感覚だったのかもしれないが、月の光くらいは許してほしいものだ。

［なるほどと同感させられる話］

『ありがたきもの。舅《しゅうと》にほめらるる婿。また姑《しゅうとめ》に思はるる嫁の君。…主そしらぬ従者。つゆの癖なき。…男女をば言はじ。女どちも、契り深くて語らふ人の、末までなかよき人、難し』

「ありがたきもの」とは、「めったにないこと・もの」という意味。

最初の四つの事例は、もう言わずもがなであろう。現代でもしばしば目にすることだ。「従者」の例は、現代であれば、会社の上司、部下の関係と言っていいだろう。その上司の悪口を言わない部下などいない。上司の悪口ほど面白いことはないから、酒の席などでは、格好の肴《さかな》になる。それを肴にしない部下などいない。

最後の事例は身に沁《し》みる。男でも女でもいくら仲の良い関係にあっても最後までその関係でずっといるのは難しいことだ。これは結婚でも言える。結婚式でも二人は神に誓う。

「とこしえに愛することを誓います」

しかし、とこしえに愛し合っている夫婦など見たことがない。


『人の顔に、とり分きてよしと見ゆる所は、たびごとに見れども、あなをかし、めづらし、とこそおぼゆれ。絵など、あまたたび見れば目もたたずかし』

（人の顔で特にいいなと見えるところは、顔を合わせるたびに、やっぱり「いいな、すてきだな」と思う。絵などは何度か見ていると、もう目にも入らなくなる）


私は絵を見るのが好きで、上野の美術館などによく行く。印象派の女性の絵などいつも惚《ほ》れ惚《ぼ》れして見る。ところが、帰りの電車に乗ると、もう絵のことなどはすっかり忘れてしまって、車内の女性の顔ばかり見ている。生《き》の人の顔ほど千変万化して、面白いものはない。

私は、高齢者の自動車運転免許更新の時の「視野」の検査で、いつも「20代の視野」との評価を得る。それは電車に乗ると、顔は正面を向けたまま、いつも車内を左右前後きょろきょろしているからだ。美人だけではない、それぞれの女性ごとに、またその時々によって、彼女たちの表情は変化する。それを観察することほど楽しいことはない。絵では視野は広がらない。

［洒落た表現あれこれ］

『大蔵卿ばかり耳とき人はなし。まことに蚊のまつげの落つるをも聞きつけたまひつべうこそありしか』

（大蔵卿という人ほど、耳の鋭い人はいない。蚊のまつ毛が落ちる音さえ聞き取ってしまうそうだ）

そもそも「蚊」にまつ毛などあるのかどうか私は知らない。よく我々は、物を他のものに譬《たと》えて表現するが、それはいかにも似つかわしい事例を取り挙げて譬えるものであって、いくら小さいものの譬えとしても、「蚊のまつ毛」とは極端にすぎる。それをのうのうと使うところに、清少納言の太っ腹で図々しいところがある。

パラボラで聴く

それにしても、蚊のまつ毛が落ちる音を聞きつける大蔵卿の聴力とはすごい。あやかりたいものである。その代わりに、大蔵卿の周りの者は大変で、いくら小声でしゃべっていても、また卿がはるか遠くにいても、聞きつけてしまうのだから、うっかりできない。

私の聴力は年ごとに衰えて、今では体温計で熱を測っていても、あの「ピ、ピ、ピ…」という音さえ聞こえない。耳のすぐ近くで鳴っているというのに。今度は大仏様のまつ毛が落ちるほどの大音量が出る体温計を買うつもりでいる。

『あかねさす日に向かひても思ひ出でよ　都は晴れぬながめすらむと』

中宮・定子の乳母が、日向《ひゅうが》に下るに当たって、中宮から扇が贈られた。そこには日が燦々《さんさん》と差している田舎の屋敷が描かれ、裏には雨が土砂降りの京の景色が描かれていた。そして頭書の歌が書き付けてあった。

「あかねさす」は「日」に掛かる枕詞。「日に向かひ」はもちろん「日向」を掛けている。「ながめ」は「長雨」と「もの思い」の掛け。つまり、

「あなたはこれから日向に下りますが、京に残された私は、この土砂降りの雨のように涙を流し、もの思いに浸ってあなたのことばかり考えていますよ」

という技巧の勝った歌である。中宮にこう言われたのでは、この乳母、日向に行っても中宮のことばかり考えて、すぐにも都に帰りたくなってしまうのではなかろうか。

中宮・定子の洒落心を表した逸話で、清少納言のものではないが、中宮と清少納言は、肝胆《かんたん》相照らす仲で、いつも互いに洒落や滑稽を通して、心を通じ合わせていた。

中宮からの扇

［ぬけぬけと性を言う］

「明け方、女のもとから帰っていく男は、服装など乱れたままでいいのではないか。だらしない姿であろうとも、誰も非難などしない。

男というものは、やはり明け方の帰り方が一番良く見えるというものだ。ひどく気が進まなそうな様子で、起きるのも大儀そう。女が無理に起こして、『明るくなってしまいましたよ。世間体が悪いわ』などと言っているのに対して、ほっとため息をついているところなど、なんとも風情がある。帰っていくのが億劫《おっくう》そうであるのが、女から見ると趣深く見えるものだ。指貫《さしぬき》など、座ったままで履《は》こうともせず、着物を着る様子もない。女に身を寄せて、昨夜の様を耳に甘く囁《ささや》いている。

その後、妻戸の所まで女を連れて行って、昼間会えないのが気掛かりだなど、女の耳元に別れの言葉を告げながら出ていく」

相当濃厚な官能の場面をさりげなく描いている。枕草子は、意外に性に関することをいけしゃあしゃあと描く。源氏物語が好色な物語で、性の場面がふんだんに出てくると思っている人が多いようだが、それは全く誤っていて、赤裸々に描いているところは皆無である。それに比べて、枕草子はかくのごとくである。

［この草子は、清少納言の個人用のものなのか］

枕草子の巻末にこんなことが書かれている。

「この草子は、人が見ることなどありはしないと思って、目に見、心に思うことを、里住みのつれづれに任せて勝手に書き集めたもので、人にとって具合の悪いことまで書き散らしてしまっている。

うまく隠しておいたのに、思いも掛けず外に漏れ出してしまった」

しかしこれは嘘である。彼女ははっきりこの草子が人の目に触れることを意識して書いている。巻頭の「春はあけぼの…」の美文調といい、「蚊のまつげ」などという極端な比喩といい、また悪口の面白さを滑稽に表すのみならず、悪口を非難する人を辛辣《しんらつ》に皮肉る、などはみな読者を意識してのものだ。

そして、「人にとって具合の悪いことまで書き散らした」と言うが、子細に読んでいけば、どれも一般的なことばかりで、個人攻撃はしていない。美文や比喩や皮肉は、自分の思いを読者にいかに強く訴えるかの文章創作上の工夫なのである。

とにかく清少納言には、なんでもかんでも書き綴《つづ》るという癖がある。大様《おおよう》で自由闊達《かったつ》で、奔放《ほんぽう》な女だったのだろう。

与謝野晶子は、そんな清少納言についてこう言っている。

「清少納言を好かない。何となく好かない。併《しか》し、友人として（付き合うなら）清少納言である。紫式部は師として教をうけることはあっても、友人としての親しみはなかろう」

枕草子は、周囲の刺激に対して、反射的に目まぐるしく「をかし」「めでたし」を発することが多く、静かに内観し、客観する余裕はない。私は付き合うなら、どちらかと言えば内省型でしかも洒落の精神に満ちた紫式部がいい。でも私も結構ふざけたことを言うし、清少納言と馬が合うかもしれない。

いっそのこと二人を日替わりの友としよう。

（3）全ての歌が洒落ている古今集

源氏物語には、600首とも1000首とも言われるほどの古歌が引かれている（これを引歌という）。その多くは古今集からのもので、紫式部がいかに古今集を価値あるものとしていたかが分かる。

また、枕草子には、こんな逸話が載っている。

村上天皇の女御・芳子は、古今集1111首の全てを記憶していた。しかも歌そのものを記憶していただけではなく、作者に関する曰《いわ》く因縁やその歌のできた背景など全てを知っているという。

「そんなことはあるまい」

と疑わしく思った村上天皇が試してみると、

『つゆ違ふことなかりけり』

という結果で、天皇はあきれて途中でやめてしまった。が、なんとか女御をへこましてやろうと意地で、翌日また試してみたが、やはり結果は同じであった。

これは彼女が姫君であった時に、父親がいつもこう教えていたからである。

『一つには、御手（書）を習ひ給へ。次には、琴《きん》の御琴を、人よりことにひきまさらむとおぼせ。さては、古今の歌二十巻を皆うかべ（暗誦）させ給ふを、御学問にはせさせ給へ』

当時、女性にとって、

「琴、書、歌」

が必須教養とされていた。今でいえば「ピアノ、スイミング、学習塾（?）」というところであろうか。それにしても1111首全てを覚えてしまうとは神技としか言いようがないが、ただ、紫式部も、この芳子女御のように古今集のほとんどが頭の中に入っていたのではないかと私は思っている。

それでは古今集がなぜそれほど大事にされていたのかを考えてみよう。

それは古今集が目に触れる景物や心に浮かんだことを、単に五・七・五・七・七に写生・叙述したものではないということである。春、夏、秋、冬を最

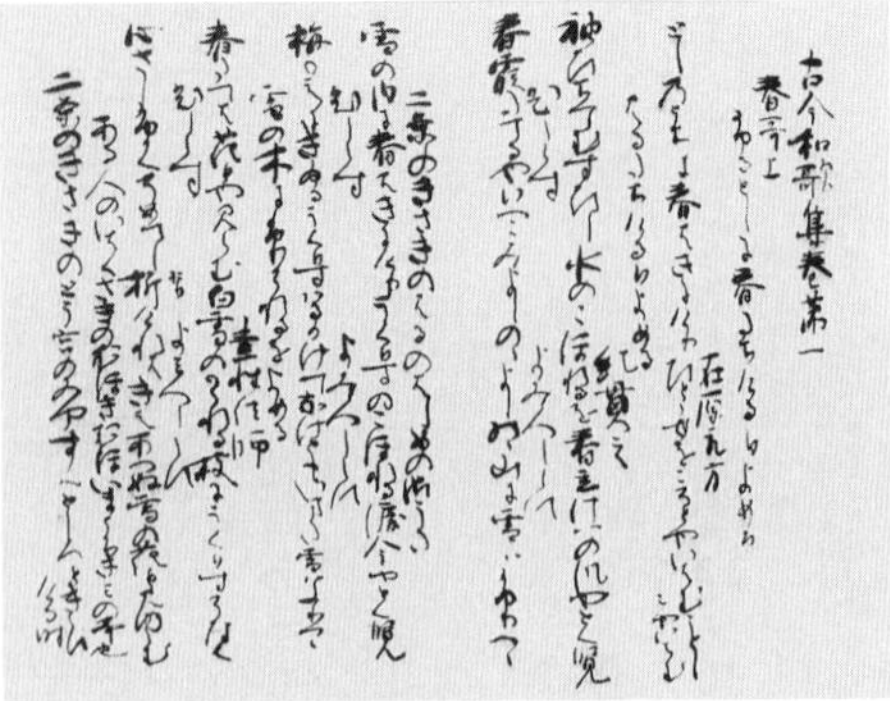

藤原定家筆　古今集

初に配置し、次いで離別歌、羇旅《きりょ》歌などを挙げ、その後に恋歌を配している。これらはいずれも変化の著しい事象であり、そこには、時の推移の悲哀や詠嘆の情が込められていて、それは人の生き方を最も象徴的に表したものである。その相を三十一文字に詠い上げたのが古今集で、それ故に人々から重く見られていたのである。

人は、生まれ、青春時代を送り、壮年となる。その間、人と睦み人生を謳歌《おうか》するが、しかしやがては衰えていく。日々変化してやまないもの、それが人の生である。

平安人が、桜やホトトギスを特《こと》の外《ほか》好んだのも、桜は咲いてもすぐ散るからであり、ホトトギスは山からやってきてもあっという間に帰っていくからである。それは変化の相をもっとも象徴的に表すものの典型として彼らの目に映ったのだ。

それらをいかに豊かに詠み上げるかに彼らは奮闘した。そのためにさまざまな理知を働かせ、掛詞や縁語や序詞《じょし》などの修辞を操《あやつ》ったり、空想を豊かにしたり、洒落た表現をしたりすることに苦心した。それらが人々の心を打たずにおかない。

そんな歌をほんの少しではあるが、挙げてみよう。

（ア）季節は移り変わってやまない

『雪のうちに春は来にけり　鶯の凍れる涙　今やとくらむ　二条后』
（まだ雪の降る時季だというのに、早くも暦の上では春が来た。これで、冬じゅう凍っていた鶯の涙も溶けることだろう）

現代人の感覚からすれば、現実離れしていてなんとなく親しみにくく感じるであろう。そもそも鶯《うぐいす》に涙などあろうはずはないし、しかもそれが冬じゅう凍っていたと言う。「そんな、馬鹿な」という思いが先に立ってしまう。

しかし底冷えする京に住む人々にとっては、春の到来ほど待ち遠しいものはない。たとえ暦の上の春とは言っても、もう春が間近に来ていることに違いはないのだ。

そんな喜びを、春到来を告げる鶯（春告鳥ともいう）に託したのがこの歌である。鶯の涙は、今まで寒さに縮こまって過ごしていた作者の心情を比喩している。

「冬の寒さも辛さも、春到来ですぐ溶（解）ける」という思いが、「鶯の凍れる涙　今やとくらん」なのである。「今」は「すぐに」ということで、そこには作者の春を待ちに待った逸《はや》る思いが込められている。

象徴、比喩、洒落などを尽くして春到来の喜びを詠った秀歌である。

『夏と秋と行き交ふ空の通ひ路は　片へ涼しき風や吹くらむ　凡河内躬恒《おおしこうちのみつね》』

（夏が去り、秋がやって来る空の路は、夏と秋が行き違って、恐らく片側は涼しい風が吹いていることであろう）

これもあり得ない話で、夏や秋に、新幹線の上り下りのような通い路があるはずがない。しかも片側は涼しい風が吹いていると言う。今の人は、あまりに現実離れした空想に違和感を覚えるであろう。

ところがそうではない。この歌は「六月のつもごり」に詠われている。京の夏はとにかく暑い。そのために貴族たちは邸《やしき》に遣水《やりみず》を引き、大きな池を造り、釣り殿を建て、涼を求めた。でも明日からは釣り殿に出なくても、秋の爽やかな風は部屋にまでそよそよと吹き入ってくる。人々を悩ませていた暑い夏とは、この日をもって決別できる。

そんな彼らにとっては、夏と秋とが行き交う路があると表現するのも、またその片側を涼しい風が吹いていると表現するのも、決して大仰とは言えない。むしろその洒落を平安人は愛でたのである。

二条后の歌が、春の巻の4番目に置かれているのは、春到来の喜びを、比喩を巧みに使って人々の思いを見事に詠っているからであり、躬恒の歌が、夏の巻の掉尾《とうび》を飾っているのも、秋到来の喜びを空想豊かに洒落て描いているからである。

(イ) 恋の季節は目まぐるしい

『かき暗しことは降らなむ　春雨に濡れ衣《ぎぬ》着せて　君をとどめむ』

(いっそのこと、空を真っ暗にするほど降ってほしい。春雨のせいにして、あなたをここにお留めしましょう)


「ことは降らなむ」とは、「同じことなら、降ってほしい」という意味。

当時は通い婚で、朝になれば男は自分の家に帰っていった。女が「もっと一緒に」と思ってもそれは無理である。しかし女にすれば、なんとか男を自分のもとに少しでも長く引き留めておきたい。かといってあからさまに「帰らないで。もう少しいて」とも言いにくい。

そこでしとしと降っている春雨に目を付け、

「いっそのこと空が真っ暗になるほど、どしゃ降りになってほしいわ」

足折る棚橋

と呟《つぶや》く。そうすれば女が臆面もなく引き留めたのではなく、「春雨が悪いのよ」と、春雨を口実にできる。まさに春雨に「濡《ぬ》れ衣《ぎぬ》を着せた」のである。こんな洒落た女だったら男も痺《しび》れてしまって、

「春雨じゃ、濡《ぬ》れて参ろう」

などと、見栄を切らずに、

「しょうがないな！　この降りでは。帰ることもできぬわ」

なんて言って、もう一度官能の汗に濡《ぬ》れることになる。

『待てと言はば　寝てもゆかなむ　しひて行く駒の足折れ　前の棚橋』

（私が「待って！」って言っているのだから、寝ていってほしいものですわ。それでも強いて

帰るっておっしゃるのなら、前の川に架かっている棚橋よ、あの人の乗って帰る馬の足をへし折ってしまってちょうだい）

歌の主旨は先の歌（「かき暗し」）と同じであるが、こちらの方がはるかにあからさまで強烈。馬の足をへし折ってちょうだい、とはいささか狂気じみているが、でもそれが恋に陥っている女（男）の本音なのである。

男は、今夜は何か用事でもあるのだろう、寝もしないで帰ると言う。女とすれば悲しい限りで、どんな手段を使ってでも男を引き留めたい。先の歌の女が春雨に濡れ衣を着せたのだが、この女は、前の川に架かっている少々古ぼけた棚橋に罪を着せようとしている。あるいは男は、この女の激しい気性に日頃から手を焼いていて、寝ないで帰りたいといつも思っていたのかもしれない。いずれにしてもこの恋、長くは続きそうもない。

でも、そんなに強烈な女のエゴを詠っていても、この歌から不快なものは感じられない。むしろ泥臭い民俗的な雰囲気が漂っていて笑いが滲《にじ》む。

古今集にこんな歌がある（万葉集からの引歌）。

『ささの隅《くま》　檜の隅川に駒止めて　しばし水かへ　影をだに見む』

（檜隅川《ひのくまがわ》に馬を止めて水でも飲ませてください。その間にもあなたの姿を見ていられるから）

「ささの隅」は枕詞。「水かへ」は「水飼え」で馬に水を与えること。こちらの歌は、朝、帰っていく男を見送る女の優しくも慎《つつ》ましい瞳が想像され、先の「駒の足折れ」とはだいぶ違う。しかもなんの技巧もなく素直に詠っていて安堵《あんど》を覚える。

『君恋ふる涙の床に満ちぬれば　澪標《みをつくし》とぞ我はなりける　藤原興風《ふじわらのおきかぜ》』

（あなたを恋い慕う涙が、寝床に溢れて洪水のようになってしまいました。まるで私は水の上の「澪標」さながらで、我が身を尽くしてしまい、心も消え入りそうです）

これまた、随分大げさな歌である。でも涙のために寝床が川になったり、海になったりというのは、古今集や古歌の常套《じょうとう》表現で、ひどいのになると「涙の海で釣りをする」などという極端なものまである。

「澪標」は、海などに浮かぶ船の航路を示すもの。「身を尽くす」を掛けている。非常に技巧の勝った歌であるが、面白い。単に「あなたに逢えなくて涙ばかり流しています」というより、訴える力ははるかに強い。

この歌を聞いた人々は、上句の大仰な表現と下句の洒落た掛詞（澪標＝身を尽くし）に手を打って喜んだのかもしれない。

恋は、よくニュースにもなるように何が起こるか知れない意想外な要素を含んでいる。時にしんみりとした、時に狂的な、また大げさな歌があっていい。

（ウ）宴、華やかに

『思ふどち　春の山辺にうちむれて　そことも言はぬ旅寝してしが　素性法師』

（親しい仲間同士で、春の山辺に連れ立ってさすらい、どこでもいいから、みんなで旅寝をしたいものだ）

『駒並《な》めて　いざ見に行かむ　故郷は雪とのみこそ花は散るらめ』

（馬を並べて、さあ、みんなで見に行こうではないか。あの懐かしいふるさとでは雪のように花が散っていることだろうから）

2首とも、洒落や滑稽に直接は関わらない歌だが、親しい仲間と群がって野遊びする楽しさは、古代人も現代人も全く変わらないのだということをしみじみ感じさせる。そこでは話が弾み、笑いの絶えることがない。

私も、退職校長会の仲間十数人で「散策の集い」を結成してもう9年目になる。年に3、4回の集いを持ち、ちょっとした丘や公園を巡り、昼には円座を組み紙コップの杯が巡る。男ばかりなのでつまみはない。そのすぐ後に、今度は居酒屋に席を移してまた飲み会となる。私が日頃「円居《まどい》！　円居！」と言うものだから、会員こぞって「これこそ円居だ」と意気盛んに飲み、喚《わめ》く。

さて1首目は、どこでもいいから野宿をしようというのだから、随分気軽な歌である。でも春の山野はそれでなくても心が浮かれるのだし、しかも「思うどち（親しい仲間）」との野遊びでは草の上の旅寝

野遊びでの円居

山の端逃げて……

で十分。

2首目の「並めて」には「大勢で」の意味がある。昔なじんだ田舎でもいい、京の郊外でもいい。何しろそこには花が雪のように散っているというのだから、大勢で馬を並べて見に行ったらどんなに壮観で楽しい眺めになることか。

『飽かなくに　まだきも月の隠るるか　山の端逃げて入れずもあらなむ　　在原業平』

（まだ十分には堪能《たんのう》していないのに、月よ、もう山の端に隠れてしまうのかい。いっそのこと、西の山の端が逃げてしまって、月を入れないようにしてもらいたいものだ）

山の端に「逃げておくれ」とは、また随分

無理勝手を言うものである。確かに、そうすれば月を鑑賞するには都合はいいかもしれないが。

この歌、「観月の宴」の趣があるが、実は全く別の意味で詠われている。前書きにはこんなことが書かれている。

「（業平たちが）惟喬《これたか》親王の狩りの供をし、その後、宿に戻って祝宴となった。一夜飲み明かし喋《しゃべ》り明かそうとしていたが、親王が疲れたのであろう、自分の部屋に入ってしまおうとされた。まだまだ楽しみは尽くしていないのに、

『もうお部屋にお戻りですか』

との意を込めて、月を口実にして親王を引き留めようとした」

恐らく月は実際に煌々《こうこう》と美しく出ていたのだろう。その実景を借りて、洒落た歌にした。自分が月に託されたことで思わずにっこりされた親王は、また宴の円の中に戻られたに違いない。

当時の貴族はこのようによく親しい仲間で宴を開き、管弦をし歌を詠い歓談をした。宴のテンションが上がるにつれ、人々の表情が緩《ゆる》み、哄笑《こうしょう》や嬌声《きょうせい》が起こり、そこには洒落た言葉や滑稽な話が飛び交い、それによって仲間の絆《きずな》は一層深められる。

「令和」の元号も、実は宴の席から来ているのだが、ご存じであろうか。

（エ）老いは必ずやってくる

『あり果てぬ命待つ間のほどばかり　憂きことしげく思はずもがな　平貞文』

（どこまでも生き通すことなどできはしないのだから、せいぜい生きている間くらい、煩わしい思いはしないで過ごしたいものだ）

華やかで活力に満ちた青・壮年時代にも、老いはしずしずとやってくる。「散策の集い」でも、ちょっとした丘歩きも難しくなってきているし、酒の量も減ってきた。古今集の888番から910番まで、老いの嘆きや若き日への憧憬《しょうけい》や自虐の歌がずらりと並んでいる。古代人も現代人も同じで、老いにはみんな悩まされている。河野裕子はこんな歌（歌集『体力』）を詠っている。

『もういいかい、五、六度言ふ間に陽を負ひて最晩年が鵙のやうに来る』

鵙《もず》は怖い。陰険な眼と鋭い嘴《くちばし》をもって狙った小鳥は逃がさない。

でも、平貞文の思いと一緒で、本当に残り少ない人生なのだから、のどかに生きたいものだとつくづく思う。今では財産にはこだわりはないし、お金をあげると言われても別に欲しくもない。女にも関心が薄くなっている。老いを嘆くのは仕方がないとしても、平穏・無事な状況でいる時に、せいぜい煩わしいこと、憂わしいこと、嫌な思いは、我が身に近付かないでほしい。

季節は廻《まわ》り人の世も日々変転してやまない。固く誓ったはずの恋さえ時とともに変化していく。楽しい宴でさえいずれ終わりを迎える。それはとどめようのないこの世の定めなのである。古今の歌人たちは、自然と人生の変化の相をじっと眺め、さまざまな技法をもって優れた洒落た歌を創造していった。

老いは鶍のようにやって来る

4　江戸は庶民の時代

教科書とは怖いもので、「古今集や新古今集にはろくな歌がない」という認識は、私の中にずっと生き続けていた。教科書がそう教えていたからである。この認識は中学校の国語教師になってからも変わらず、生徒たちにもそう教えていたことを思うと、忸怩《じくじ》たるものがある。

江戸時代に対する認識も同じことが言える。これも教科書がそう教えていたからで、事実は決してそうではなかった。

この点を、江戸時代研究者の石川英輔『大江戸庶民事情』（講談社文庫）を参考にしながら見てみよう。この書の冒頭に、こう書かれている。

「明治以来の教育のおかげで、われわれは、江戸時代ががんじがらめの不自由な封建時代で、人々は厳重に管理されていた、というように思い込まされてきた。確かに越えることのできない身分制度があり、政治的な自由もほとんどなかったという点では、厳重な枠があったことは事実である。

しかし、形式上の法律的自由があるということと、庶民が自由に暮らせることとは、かならずしも一致しない。…形式上の自由がなければ、庶民が自由に暮らせないかと言えば、かならずしもそうではない。江戸時代の祖先たちの生活を具体的に調べると、建前《たてまえ》とは別に意外なほど多様性に富んでいることが分かる…」

『江戸名所図会』や『東都歳時記』の絵を見ると、そこに描かれている庶民のなんと明るく賑《にぎ》やかで楽しそうなことか。とても厳重な管理のもとで、不自由な生活を強いられていたとは思えない。それに個々の人々の表情がなんとも生き生きしている。大工も棒手振《ぼてふり》もそのおかみさんたちも、それぞれが意気軒昂《けんこう》、溌剌《はつらつ》として生活を楽しんでいる様子が浮き彫りにされている。

これらの絵によっても、江戸時代は、ある意味、武士の時代ではなく庶民の時代であったということが理解できる。あの洒落た滑稽な川柳や狂歌や小咄などは、このような時代であったからこそ、生まれ出てきたのだ。

『大江戸庶民事情』の「長屋」の項の最初に、

『椀と箸　持って来やれと　壁をぶち』

という川柳が引かれている。9尺2間（間口2・7メートル、奥行き3・6メートル）の長屋では、壁のすぐ向こうはお隣さんで、プライバシーも何もない。むしろ長屋じゅうが共同生活者であり一家のようなものであった。

深川に「深川江戸資料館」という施設がある。ここには当時の9尺2間の長屋が再現されていて、江戸を理解するには大変参考になるので、私は何度も行っている。

さて、この川柳では、何かいい食べ物でも手に入ったのだろう、自分の内だけで食べてしまうのが惜しい気がする。そこで壁をどんどん叩いてお隣さんを呼び、ともに食おうというわけである。

椀と箸

「椀と箸　持って来やれ」

からは、なんの壁も感じさせない睦ましい一家の雰囲気を感じさせる。
現代の一戸建ての家屋やまして厚いコンクリートで仕切られたマンションでは、プライバシーはあっても互いの行き来は限定される。それどころかお隣にどんな人が住んでいるのかも分からないまま、長年過ごしている人も多いのではなかろうか。

江戸の長屋は天国と言いたいのではない。当然そこには難しい生活上の問題や複雑な人間関係も起こったことであろう。ただ、狭くて不自由な9尺2間であったからこそ、行き来が頻繁《ひんぱん》になり、人とのつながりも強かったことも確かであろう。そこでは人情味のある会話が取り交わされ、洒落た話が飛び交い、滑稽なやり取りがなされたであろうことも推測するに難くない。

(1) 川柳に見る江戸庶民の姿

それでは、まずは江戸庶民の姿が、川柳にはどのように詠まれているかを見てみよう。

（ア）９尺２間の長屋暮らし

『旅帰り　五間覗いて内へ来る』
『一人者　ほころび一つ　手を合わせ』
『雪隠《せっちん》へ先を越されて　月を褒め』

元禄から享保時代には、江戸の人口は１００万人に達していたという。これは当時のパリの人口を超えていた。その内訳は庶民と武士がほぼ半々であった。庶民のうち長屋に住んでいたのはどの程度であったのかは定かでないが、表に店を張れるような者はごくわずかであったろうから、ほとんどの庶民は長屋住まいをしていたのではなかろうか。

第１句に見るように、江戸の庶民は、意外にもよく旅をした。講をつくっては大山や江の島などに出掛け、どんちゃん騒ぎをした。そんな旅の帰りなのであろう、土産を持って長屋のみんなに配って回っている。旅の話で盛り上がっているのか、５軒回るのにも時間がかかる。やっと我が家にやって来た、という微笑《ほほえ》ましい光景である。

２句目は、長屋の一人住まい（当然、男）が、仕事着にほころびでもできてしまったの

だろう、しかし自分では繕《つくろ》うこともできない。そこで、隣のおかみさんに持っていって、すがるように三拝九拝、両手を合わせて、

「おかみさん、どうかこのほころびを…」

などと言っている男の頼りない姿が描かれ、くすりと笑いを誘う。

3句目、長屋には当然のことながら、個人用の便所はない。「さあ」と思って行ってみたら、先客がある。終わるまで外で待っていなければならない。待つ間の手持ち無沙汰を「観月」と洒落込んだ。お月さまもにここ見ていたことであろう。

(イ) ほのぼの　親心

『寝ていても　団扇《うちわ》の動く親心』

『女湯へ　起きた起きたと抱いてくる』


1句目は、中学校の教科書などにもよく取り上げられ

一人者のあはれ

ている句だが、その意は明瞭。子どもの昼寝の添い寝をしていた母親も、ついうとうとしてしまった。しかし、さすがは母親、団扇《うちわ》だけはパタパタと動かすことを忘れない。暑い夏の家庭の一瞬を見事に切り取った作品。

2句目、母親は湯に行っていて、寝ていた子は父親にお任せ。ところが、子どもが目を覚ましてしまった。父親は持て余してしまって、「おーい。起きたぞ、起きたぞ！」と子どもを抱いて、入浴中の母親の銭湯まで駆けてくる。男にはほんに困ったもの。

（ウ）可笑しい夫婦のありさま

『なぐさみに女房の意見　聞いている』
『桜見に　夫は二丁あとから出』

1句目の、「なぐさみに」とは、「本気でなく」「いい加減に」という意味で、何をやらかしたのやら、女房は真剣になって亭主に意見をしている。にもかかわらず、亭主は「ふむ、ふむ」と相槌《あいづち》は打つが、全く誠意を持って聞こうとしない。これは現代のどこの家庭にもある光景だ。我が家でも「聞いてるの！」なんてしばしば妻に意見される。

2句目も、笑ってしまう、我が家と全く同じ情況なのだから。駅まで行くのにいつも妻が先に出る。そのあと2分ほどして私が鍵を締めて出る。我が夫婦には一緒に歩くという習慣がないし、そもそも女房と並んで歩くなど、照れくさくていまだにできない。

江戸時代には、たとえ夫婦であっても一緒に歩くことを醜《みにく》いこととしていたそうだが、我が家には、江戸の掟《おきて》が残っていた。ところで、「二丁」とは220メートルほどだから、我が女房と私との距離に等しい。

逃げろ！　腹掛け

(エ) 愛らしい子どもたち

『雷を真似て　腹掛けやっとさせ』
『蚊帳《かや》吊った夜は　めずらしく子が遊ぶ』

1句目の「雷を…」も中学校の教科書に出てくる句で、意味は取りやすい。子どもは裸が大好きで、腹巻も下着も何もなく、裸で家じゅう駆けずり回る。親がその後を追い掛け回すが、子どもは素早い。そこで、「ほら！　雷が落ちるわよ。臍《へそ》を取られるよ」なんて子どもを騙《だま》して、やっと捕まえ腹掛けをさせる。微笑《ほほ》ましい光景である。

2句目、「蚊帳《かや》ってえものは実に不思議なものでしてぇ、大人でも蚊帳の中に入ると何か別世界に入ったような感じがするものでしてな」

まして子どもにとっては、宇宙空間での遊び場ができたみたいなもので、夕食後、いつもならぐずぐずしているのに、蚊帳が初めてつられた夜は、彼らは宇宙遊泳に余念がない。そのうち静かに寝てしまうから親も助かる。

そういえば私も、蚊帳の中に蛍を何匹も放して、幻想の世界に遊んだことがある。

ここまでの川柳から、江戸時代も今も全く変わらない庶民の伸び伸びとした姿を偲《しの》ぶことができる。江戸時代は、決して暗く自由のない世ではなかった。

（オ）純情な恋

『忍ぶ夜の　蚊は叩かれて　そっと死に』
『気があれば　目も口ほどにものを言ひ』

1句目の句は、もう川柳の域を超えていて、見事な文学作品と言える。忍ぶ夜では、しんみりした語らいだから、たとえ蚊に食われても「ピシャリ！」などとやったら、忍ぶ恋の風情は台無しになる。

この句の優れているところは、「そっと死に」であろう。蚊が自主的に死んでいってくれたような響きがあって、詩的だ。これが忍ぶ夜でなかったら、ピシャリと叩いてしまって、蚊も「グェ！」なんて言って悶絶《もんぜつ》しながら死んでいく。

2句目は現代でもよく使われる。恋に神代も江戸もない。

（カ）遊びあれこれ

『飛鳥山　毛虫になって　見限られ』
『歌がるた　人といふ字に手が五つ』

賑わう桜の飛鳥山公園

「飛鳥山」は、8代将軍吉宗が庶民のために造った桜の名所で、現在でも桜の時季になると人で溢れる。ところがどんなに人で溢れていた名所でも、毛虫の時季になれば人の影はなくなる。それを「見限られ」と洒落た技量は高く評価できる。また桜の盛期ではなく、毛虫に目を向けるという意外性も、江戸人の本領発揮と言えよう。

『ホトトギスもう小金井は毛虫なり』という句もある。小金井は桜並木で有名。

2句目は、歌留多《かるた》遊びの光景。仮名文字の中に「人」などという文字が入ると目立つので、全員の手が一斉に「人」の札に落下する。

『百人を五六人して追い回し』という句もある。百人(一首)を五、六人の取り手が夢中になって追い回していると洒落た。

江戸人はとにかく遊ぶのが好きで、飛鳥山や小金井のみならず、四季折々の見物《みもの》の場所に出掛けた。それは落語『長屋の花見』が証明している。また歌舞伎見物や相撲観戦など、彼らが遊ぶには事欠かなかった。

室内遊戯も歌留多《かるた》のみならず、将棋や碁、双六など枚挙《まいきょ》にいとまがない。

(キ) のどかな風景

『涼み台一人が立って二人落ち』
『本降りになって出て行く　雨宿り』
『ひん抜いた大根で　道を教えられ』

この3句はもう説明の必要はあるまい。いずれの時代も同じで、人のちょっとした仕草《しぐさ》が温かく、滑稽に描かれている。それにしても、引っこ抜いた大根で道を教えるとは奇抜。

(ク) 風俗、世相

『湯《ゆ》浄瑠璃　着物を着ると　けちな声』
『ご新造の出嫌い　実はこれがない』

この2句は、少し説明が必要であろう。1句目は、銭湯での様子を描いたものである。湯に入ると、誰ものんびりと歌でも歌いたくなる。江戸の庶民はもちろん内風呂などないから、銭湯に入って勝手なことをしゃべり、勝手に声を張り上げて歌う。彼らは、歌舞伎などで喉《のど》を鍛えられているから、義太夫や豊後節などいろいろ披露したくなる。湯の中では、浄瑠璃などは実にいい声に聞こえるものだ。ところが、一歩湯船から上がり脱衣所で着物を着ながら歌ったりしていると、「なんだい、こんなけちな声だったのか」と人に見直されてしまう。湯から出なければよかった。

2句目は、武士階級の生活の困窮とその不自由さなどを嘲《あざけ》ったものである。武士という地位はここまで零落していた。

「これがない」の「これ」とは着物のことで、下級武士の妻女は、「これ」がないために外出もできない。誰も出嫌いなんて女はいない。武士の困窮によって、出たくても出られないその家内の苦しさは深刻である。「花は桜木、人は武士」は名ばかりで、涙が出る。武士が困窮の生活をするようになったのはいつ頃からかは知らないが、川柳華やかなりし文化・文政の頃は、もうほとんど嘲笑《ちょうしょう》の対象になってしまっている。

（ケ）笑いものの対象として、史実も容赦なし

『清盛の医者は　裸で脈を取り』
『五右衛門は生煮への時　一首詠み』

川柳師は、偉人、賢人、富者、聖者、剛勇の者だろうが絶世の美女だろうが、辺り構わず彼らを格好の餌食《えじき》にして笑い飛ばした。もっともよく出てくるのが鵺《ぬえ》を退治した源頼政。ついで、平家一門、義経、弁慶、孔子、釈迦、小野小町、楊貴妃、曽我兄弟、四十七士などなど、とにかく有名人なら誰でも良しなのである。「平凡に生まれて川柳の餌食にされずで幸せ」と思っていた人も多かったのではなかろうか。

さて1句目、悪行を極めた平清盛の最後が、

裸で脈を取る

『入道相国、病ひつき給ひし日よりして、水をだに喉へも入れ給はず。身の内の熱きこと、火を焚くが如し。臥し給へるところ、四、五間が内へ入る者は、熱さ耐へがたし』と平家物語にある。そしてついに転げ回って絶命する。これもみな悪行の報いで、無間地獄に堕《お》ちるのは必定である。

この時、困ったのが医者で、「裸で脈を取る」しかなかった、と茶化《ちゃか》されたのでは従一位太政大臣平清盛も形なしで、随分侮《あなど》られてしまったものである。

2句目、大泥棒・石川五右衛門の最後は釜ゆでの刑。それでも豪儀な彼は歌を残す。

『石川や　浜の真砂は尽くるとも　世に盗人の種は尽きまじ』

しかし、いくらなんでも釜ゆでの最中に歌を詠むなどは無理な話であろうが、「生煮へ」の時だったら、あるいは「石川や…」とやれたかもしれないと、川柳師も随分穿《うが》った見方をしたものだ。

ここまで見てきたように、川柳師や狂歌師の洒落・滑稽の精神また彼らの博識と頓智《とんち》は並大抵のものではなく、その能力に感銘するしかない。

次には、さらに洒落と滑稽を極めた小咄を見ながら江戸庶民のさまざまな姿を見ていこう。

（2）笑いの宝庫　江戸小咄

江戸文学を代表するものに小咄がある。ただ内容的には「文学」と言っていいのかどうか戸惑うところはある。何しろ下ネタや身体の障害や遊里・遊女などを題材にしているものが多く、品位に欠けるからである。私がいつもよりどころにしている『江戸小咄辞典』（東京堂出版）には、2000以上の小咄が採録されているが、そのうちの3割程度が、これらの話を扱ったものである。また駄洒落《だじゃれ》やナンセンスなものも多く見られる。

したがって2000以上の中からここに相応《ふさわ》しいものを選ぶとなると、内容的にも量的にも容易なことではない。

そのような中で、「おとぼけもの」に優れたものを多く見出すことができる。また、親子、夫婦など江戸庶民の世相や身分などを描いたものにも見るべきものがある。

ここでは、私見や解説はできるだけ省き、生《き》のままの江戸小咄を味わってもらおうと思う。

[おとぼけ]

貧乏人の奥さんには珍しい貞女がいて、亭主の好きな酒でも買って飲ませてあげたいものといつも思っているのだが、何しろ先立つものがない。そこで一念発起《ほっき》して自分の髪を切って金に替え、酒を買ってきた。亭主がびっくりして、

「これは一体どうした?」

と聞く。貞女が「これこれしかじか」と顛《てん》末《まつ》を話して聞かせると、亭主、

「どれどれ、どんな具合になった。後ろを向いてみろ。…ウン、よしよし明日の分がまだ残っている」


　日頃から貧乏に悩まされている男、貧乏神は哀れな話が嫌いだと聞き、それならばと「哀れ厨子王、安寿と別れ…」と山椒大夫を語り出した。すると貧乏神、すごすごと家から出ていく。喜んだ男「神様、出て

貧乏神は仲間が多い

いかれますか?」と聞くと、

「おお、話が面白いので仲間を連れてくる」

お菊の幽霊が毎晩、古井戸から出てきて「1皿、2皿、3皿……9皿」と言っては、わっと泣き伏す。哀れに思った旅の僧が、お菊の菩提《ぼだい》を弔って進ぜようと、

「なんまいだ、なんまいだ」

とお経を上げ始めた。するとお菊、

「いくら勘定しても、9枚でございます」


成り上がりの公家《くげ》、垣に咲いている夕顔をしげしげ眺めているので、その屋敷の者、源氏物語を真似て、扇子に花と蔓《つる》を乗せて差し出す。するとくだんの公家、

「実なら干瓢《かんぴょう》にもなろうに」
※源氏物語『夕顔』の巻に、光源氏が、狭い屋敷の垣に咲いている夕顔の花に興味を寄せて見ていると、屋敷の人が扇に夕顔の花と蔓《つる》を乗せて、光源氏に差し出す、という場面がある。それを真似たなんとも風流な話であるが、「干瓢にもなろうに」の一言で風流も消え、成り上がり者の公家のお里が知れてしまった。

あるお公家様の姫君にすっかり恋い焦がれてしまった男、100夜通い続ければ、なんとか許してもらえるだろうと、通い始める。そして99日目の夜、哀れに思った姫君が、

「一夜ばかりは許してあげましょう」

と座敷に誘う。ところが男は尻込みするばかりで上がってこない。

「いかがいたされました?」

と姫が聞くと、

「いや私は日雇いでして」

※平安時代に、深草の少将という男が、小野小町に惚《ほ》れて彼女のところに100夜通い詰めた。ところが、99日も通い詰めたが、恋がかなわず、ついに死んでしまったという逸話がある。この小咄の男は、日雇いを使って省エネを図った。

山伏が道に迷ってしまったので、近くにいた百姓に道を聞くと、百姓、「山伏は占いが専門だろう。自分で占ってみたらどうだ」。言われた山伏、暫く占いをしていたが、

「やっぱり、百姓に聞け、と出た」

将棋を習い始めたばかりの男同士が、指し始めた。一人の男、

「いやはや、将棋とは難しいもの、打つ手に窮した。ところで、おのしの手持ちの札は?」「王が二つ」
「ほほ、とんだものを…」

【自惚《うぬぼ》れ】

男どもが、「良い女は、悪い亭主を持つ。悪い女は、良い亭主を持つことになる」と結婚の相性の評定をしていると、後ろの方で聞いていた若い女、心の中で、
「わたしゃ　悪い亭主を持つことになる」

店のかみさんがかわいい猫を抱いていると、通りすがりの男が、「あの猫を抱きたい」と言う。それを聞いた猫、「ニョアウン…」。するとおかみさん、
「べらぼう、うぬのこっちゃない!」

とんだものを

絶世の美女を見た男どもが、座敷であれこれその美女の話をしている。

「あれこそ三十二相の女（完璧な美女）！」

とか、

「笠森お仙も、かないますまい」

とか、褒めるに余念がない。と、一人の男、

「笠森お仙は申し分ない女だけれども、ただ、鼻の下が、ちとばかり短いところが欠点と言えましょう」

と言う。

隣の部屋でこの話を聞いていた腰元、お茶を出すために座敷に入る時、鼻の下を随分と引き伸ばして
「お茶、お上がりませ」
※笠森お仙とは、江戸谷中の笠森稲荷門前の水茶屋の看板娘で、浮世絵のモデルにもなった名代《なだい》の美女。

完璧な女

［頓知］

兄弟3人、そろって女郎買いに行く。家に帰ってみると、親父がすごい剣幕で怒ってい
て、それぞれに「どこに行っておった！」のお説教。

末の息子は「友だちのところに…」。すると親父「嘘を言うでない！」。次男坊は「碁を
やっておりました…」。これにも親父「嘘を言うでない！」。

惣領《そうりょう》息子、これではいかんと思って、

「あい知れたこと、女郎買いに」

と答えると、親父、

「なに、嘘ばっかり言う」

ある男、「つかぬ話だが、『つかさ』という字はどう書く」。聞かれた男「わしは知らぬが、
向こうから来る魚屋は物知りだから知っていよう。聞いてみよう」。聞かれた魚屋、ちと
考えて、
「言葉では言いにくい。「同」という字を片身下しにした骨付きの方」
※「同」という字をさばいて、骨の付いたほう、つまり「司」。

［諺《ことわざ》、金言］

泥棒が、儒者の家に忍び込んで、戸を開けようとしたところを弟子たちに見つかってしまい、手を掴《つか》まれ散々な目に遭う。儒者が、その手に銭百文を握らせながら「二度とこんなことをするではない」と諭す。盗人、帰りざま、

「少ないかな仁」

※「少ないかな仁」は、『論語』にある「巧言令色　鮮《すくな》し仁（口先がうまく、顔をにこやかにしてこびへつらう者は、仁の心に欠ける、の意）」から取ったもので、盗人は「仁」に「銀」を掛け、「少ないかな　仁（銀）」ともじった。相当学識のある盗人ではある。

「うちの風呂に入りに来な。今、ちょうど俺が出たばかりだから湯の加減もいいはず」と誘われた男が、もらい風呂をすることになった。ところが、入った途端に、「オオ、熱ッ！」。それを聞いて「そんなはずはない。我慢して入りな」と言うと、くだんの男、

「わたしゃ　猫足で」

頭痛持ちのおかみさん、「達磨《だるま》印の頭痛薬が効くから」と聞いたので、早速飲んでみると、

確かに頭痛は治った。ところが亭主に言わせれば、

「なるほど、頭は軽くなったが、悪いことには、尻が重くなった」

［世相・風俗］

二人連れで話しながら道を歩いていると、向こうから総髪の茶人体の男とすれ違う。と、連れがその男に黙礼をする。それを見たもう一人の男が、「あれは何者だい？」と聞くと、「茶人さ」。感心して「へえ、お前、茶の付き合いか」とまた聞く。すると、「いや茶では付き合わぬ。湯で付き合う」
※「茶」と「湯」は縁語

丁稚《でっち》がこんな愚痴を言っている。

「おらが親方は人使いの荒い人で、日がな一日供に連れ歩き、帰ると今度は使いにやる。大方仕事が終わったと思ったら、『手習いをしろ』と抜かしおる」
※手習いできる幸せを恨むとは。江戸の子どもはみんな寺子屋に行っていた。

［親子さまざま］

引っ越しで父親を今までの家に忘れてきてしまった男が、「親を忘れるとは！」とみんなに懇々《こんこん》と意見される。すると、男、

「俺なんかは、酒を飲むと我を忘れる」

親不孝な男が説教されている。「お前ほど親不孝な奴はない。親の恩は山よりも高いと言うではないか。死んだ後、いくら悔やんでも間に合わないし、またいくら銭金を積んでも買えるものではないわ」。しみじみ聞いていた息子、

「おっしゃる通りでございます。以後、十分親孝行をいたします。確かに親は銭金で買えるものではありません。しかし、売ろうとしても買う人もない」

［掛詞］

貧乏なのに博奕《ばくち》の好きな男、大負けしてついに裸になって帰る。女房が袷《あわせ》一枚を着て寝ていたので、その袷を表と裏に引き解き、裏を被って寝ていた。さすがに不満に思った女

房、「この寒さに、どうして暮らしていけましょう。凍え死んで幽霊になって出てやります」。すると亭主「着物もなしの貧乏な幽霊では、なんとして出る」。女房、

「アアラ、裏ほしや」

不忍《しのばず》の社内から火が出て、火の粉を怖れた弁天様が慌《あわ》てて池に飛び込むと、なんと甲羅の上に乗ってしまった。日頃、弁天様に恋していたこの甲羅、これはチャンスとばかり、いずこともなく弁天様を乗せて走っていく。弁天様「我が身を乗せてどこに行きやる。お前は誰じゃ？」と聞くと、

「お前を連れて、すっぽん」

※すっぽんに「出奔」を掛ける。

シュッポン

親戚の者を亡くした男、葬式に着ていく半纏《はんてん》もない。友だちに借りに行ったが貸してくれない。しおしお帰っていく姿を見た友だち、かわいそうになって後を追い、

「おーい！　かそうか」

「いや、土葬」

[茶化《ちゃか》される医者と武士]

閻魔《えんま》様が大病になったが、地獄の医者ではどうにもならず、娑婆《しゃば》の名医を呼んでくることになった。使いを頼まれた青鬼、

「名医と言われましても、誰が名医か分かりません」

すると、十王（冥府の裁判官）、

「門口に幽霊が立っていない医者が名医じゃ」

青鬼、それではと娑婆に行ってみたが、どの医

あの世への入り口　六道の辻・京都珍皇寺

者の門口にも幽霊がいっぱい。ところが、一軒の医者には一人も幽霊が立っていない。よしこれを連れていこうと入っていったら、門口に、

「本日、開店」

の掛け札。

臆病な侍、ある晩、雪隠《せっちん》に行こうとしたが気味が悪くて行けない。そこで内儀に手燭を持たせて一緒に行き、雪隠の中から内儀に声を掛ける。「そなたは怖いものは、ないのか？」。すると内儀「なんの怖いことがございましょうか」。そう聞いた侍、

「さすがは武士の妻！」

へぼな博奕《ばくち》打ちが、親分から懇々と諭《さと》されている。

「お前のように才能がない者には博奕《ばくち》打ちは無理だ。少し金のあるうちに身を変えなさい」

そう聞いたへぼ博奕《ばくち》打ち、

「それでは、外聞を捨てて武士にでもなろう」

［お色気］

茶の師匠、銭湯に入って、手拭いで見事な袱紗《ふくさ》捌《さば》きをする。そのほかの仕草も茶道に適《かな》ったものばかり。この師匠が体を拭いて、裸で出ていくのを見ていた男、

「ちと、お道具を拝見いたしたい」

仁王様に、咬んだ紙を自分が病んでいると同じ箇所に吹き付けると、病が治るという。ある男、膝が痛いので、仁王様の膝めがけて咬んだ紙を「ペ！」。ところが外れてしまって、仁王様の股間に貼り付いた。これを見ていた店のおばば、

「年甲斐もなく…」

門番の嬶《かかあ》が、毎晩外に聞こえるほどの声で泣くというので、殿様、ある晩、この嬶を借りることにした。ところが一向に泣かない。翌朝、門番を呼んで子細を聞くと、

「いえ、泣くのは私の方でござりまする」

唐の玄宗皇帝、楊貴妃を愛すること限りなし。一夜、佳境に入って、楊貴妃、

「妾《わらわ》死す、妾死す」

と。玄宗皇帝、答えて曰《いわ》く、

「朕《ちん》もまた崩御す。朕もまた崩御す」

半日で薪を割ってしまう働き者に主人が褒美に何か取らそうと、「そなたは何が好きか?」と尋ねる。すると働き者、

「……、2番目は酒が好きです」

これらの小咄から、江戸庶民のセンスとユーモアにあふれた自由闊達《かったつ》な精神や生活の一端を鮮やかに汲み取ることができる。

私の手元に『中国笑話集』(講談社文庫)がある。600余の笑い話が収められているが、驚くべきことに素直に笑える話はほとんどない。「性」を扱った話などはえげつないものばかりで、品位のかけらもない。笑うどころか腹が立ってくる。そのほかの話も「笑い」には程遠い。日本の小咄にももちろんそれに類するものもあるし、中国笑話から引用したものもある。が、笑いの質がはるかに高まっていて、センスの良さは比較にならない。

この本の中の話を一つだけ挙げておこう。

「ある和尚、精を付けようと思い、密かにエビを買ってきて煮ていると、鍋の中でばたばた跳ねだしたので、『なんまいだ。しばらくの我慢じゃ。今に赤く煮えたら痛くはなくなるからな』」

これ笑えるだろうか。何を笑いにしようとしているのか皆目見当が付かない。そもそもエビがかわいそうで笑えない。

中国には「笑い」の習慣はないのだろうかと疑ってしまう。中国の故事・成語などには素晴らしいものが多いのに、「笑話」となるとこのレベルになってしまう。

それに比べて、江戸の小咄の作者はもとより、狂歌師のセンスに富んだ柔軟な頭脳にはひたすら感銘するばかりである。

池田弥三郎は、『日本故事物語』の中で、

「恐れ入谷の鬼子母神」

という諺を例に挙げて江戸人の言語能力について触れている。鬼子母神とはもともと人の子を食ってしまうような悪神であったが、仏陀の教えに恐れ入り、改心して後に子どもを守る神となる。

諺は、鬼子母神が仏陀に恐れ入るの「入る」と「入谷」を掛けていて、「鬼子母神が仏陀に恐れ入ったように、私もあなたには恐れ入った」という意味を持っている。

「これだけ長い内容をわずかの句におさめた技巧は全く江戸人の優れた言語才能によろう。こういう秀句は洒落好きの江戸っ子の薬籠《やくろう》中のもので、…無数と言ってよいほどにある」

そしてその淵源は平安朝の修辞（掛詞、縁語、枕詞、序詞など）にあるとしている。古今集以来の日本人の洗練された洒落心は江戸にまで引き継がれていたということである。

5　影をひそめた洒落・滑稽

江戸庶民の暮らしは、現代人の予想や常識に反して、誠におおらかで伸び伸びと自由を謳歌《おうか》していたことが、先の川柳や小咄で知ることができた。特に庶民文化華やかな文化・文政時代（1804～30年）はその傾向が顕著である。式亭三馬の『浮世風呂』（文化6～10年刊）に登場する人々のなんと賑やかで明るく屈託のないことか。

このような状況は、明治20年代まで続いていたものと私は思っている。事実、明治初めに日本を訪れた多くの外国人の日記や紀行文や手記にそのことが書かれている。素直で礼儀正しく、明るく冗談を言っては人を笑わせることが好きな日本人の性格が、そこにはこと細かに書かれており、中には、

「日本は天国に一番近い国」

とまで褒めちぎっているものもある。

ところが、そんな日本人の美質が、時とともに変わってしまった。一つには、当時の日

本の軍備強化、殖産増進、科学振興が大きな影響を与えている。兵力も科学も経済も全ての面で遅れているという認識の下、早くヨーロッパ並みにまで引き上げなければならない、と当時の為政者は真剣になった。そのためには、暢気《のんき》に笑ってなどいられない。こうして人々から余裕がなくなり、次第に明るさが消えていった。

このような状況にあった時に正岡子規の『歌よみに与ふる書』が出た。この書は、文化の面や人々の生き方・考え方にも大きな影響を与えずにおかなかった。

(1) 罪作りな子規、罪の上塗りをした茂吉

千年の長きにわたって日本文化の上に燦然《さんぜん》と輝き続け、紫式部が源氏物語を構想する上でも、多くをそこに依拠《いきょ》した『古今和歌集』は、明治33年、正岡子規の『歌よみに与ふる書』で、こう言い捨てられた。

「貫之は下手な歌よみにて、古今集はくだらぬ集に有之候」

従来日本人は古今集を歌のバイブルとしてきた。文学史上のみならず、古今集は日本人の美意識の基本となり、人々の生き方にまで影響を与え続けてきた。それが、

道行にも噛み付く子規

「くだらぬ集」と切り捨てられてしまったのである。彼は、技巧や理知を否定し、事実を客観視し写生に徹することを説いた。その結果、「万葉に帰ること」を提唱し、「万葉のますらをぶり（強く勇ましい男子）」を強く推奨するとともに「手弱女《たおやめ》（女性的で温雅、優雅）ぶり」を忌避《きひ》した。たまたま彼の論が、明治ナショナリズムという時代の風潮にマッチし、燎原《りょうげん》の火のように燃え広がってしまった。

彼は古今集のみを槍玉に上げたのではない。名文として人々に愛され親しまれてきた近松門左衛門の『曽根崎心中』にも噛《か》み付いた。

醤油屋の手代・徳兵衛と天満屋の遊女・お初が、諸般の事情から、自分たちの恋が添い遂げられないことを悲観し、曽根崎天神の森で情死する道行を次のように描いている。

『この世も名残、夜も名残。死にに行く身を譬《たと》ふれば、あだしが原の道の霜。一足づつに消えてゆく。夢の夢こそあはれなれ。あれ、数ふれば暁《あかつき》の、七つの時が六つ鳴りて、残る一つが今生《こんじょう》の、鐘の響きの聞き納め。寂滅為楽《じゃくめついらく》と響くなり。鐘ばかりかは、草も木も空も名残と見上ぐれば、雲心なき水の音。北斗は冴《さ》えて影映る。星の妹背《いもせ》の天の河』

この名調子は万人に暗誦され、『曽根崎心中』が上演されて以来、心中が大流行したという。それだけこの美文、名文が人々の心を捉《とら》えたという証拠である。

ところが子規は、

「同じ字を何度も使い極めて拙劣で、15、16歳の少年の文章に等しい」

「『死にに行く』などは着想が平凡で文字がたるんでしまっている。全体を見ても少しも面白いところを見出すことができない」

「『鐘の音を数える』とは新趣向のようではあるが、その馬鹿らしさ加減は、とても評に値しない。もとより七つの時と知っていて、六つまで数えるとは、ままごと遊びの心中に等しく、抱腹絶倒ものである」

「文章全体に統一性がないし、悪句のかたまりである」

（正岡子規の随筆『松蘿玉液《しょうらぎょくえき》』より　筆者意訳）

と、『歌よみに与ふる書』で展開したのと同じように、あらん限りの罵詈雑言《ばりぞうごん》をもって天下の近松門左衛門を誹謗《ひぼう》している。

私にはとてもそうは思えないのだが、とにかく子規は、美文や掛詞・縁語などの修辞、あるいはリフレーンや非現実な表現を嫌い、徹底的に排除しようとして、それらを、

「贅物《ぜいぶつ》（無用なもの）である」

と言って切り捨ててしまった。

確かに『曽根崎心中』のこの道行の場面は、修辞の面から見れば、「贅物ばかり」と言われても仕方がない。しかし人間の精神活動というものは、そんな単純なものではあるまい（このことについては後述する）。死にに行く男・女にとって、一刻一刻時を打つ鐘の音ほど心に響くものはない。子規にこんなに文句を付けられたのでは、落ち着いて心中もできなくなる。

この極端な子規の主張を補填《ほてん》するように、その20数年後の昭和13年、斎藤茂吉が、『万葉秀歌』を出して多くの人々の共感を集めた。日本の軍国主義が最も高揚していた時のものので、古今集のような「手弱女《たおやめ》ぶり」は否定され、万葉の「ますらをぶり」が称揚《しょうよう》されて

いた。

私は、大学1年（昭和33年）の時にこの本を神田の古本屋で買い求めた。その時点で、この本は既に三十三版を重ねていたから、いかに多くの人々に読まれていたか想像に難くない。

私も、当時はこの本に痛く感動し、万葉集の良さの多くをこの本から知ることができた。しかし、今読んでみると、一方的な見解ばかりであるのみならず、誤謬《ごびゅう》に満ちていることに驚く。そのいくつかをまとめてみると、

・歌はすべからく事実、実感、真率（正直で飾りのないこと）でなければならない
・歌は写生でなければならない
・具体的に詠わなければならない
・理屈はダメ、意識的・知的であってもダメ
・とにかく歌は万葉集であり、人麻呂、赤人が全てで、古今集は言うに足りない
・万葉の古語の響きこそ学ぶべきものである

となる。

しかし、人間の精神活動はそんなに単純なものではない。人の意識は、目に見えないものをも見るし、過去や未来にも飛ぶこともある。また相手により分かりやすく趣き深く伝えるためにさまざまな技法を凝《こ》らしたりする。そのために修辞を駆使し、時には理屈を交えたりすることだってある。それが作歌上の当然のありようではあるまいか。

しかも、茂吉の解釈には間違ったものが実に多い。一つだけを例に挙げておこう。

『難波人　葦火《あしび》焚《た》く屋の煤《す》してあれど　おのが妻こそ常《つね》めづらしき』

（難波人が葦で火を焚くと家の中が煤《すす》けてしまうように、すすけてしまっている妻ではあるけれども、自分の妻ほど素晴らしいものはない）

という歌を、茂吉は、

「万葉の歌はすべて写生であるから、平凡のようでも、人間の真実が出ている」

の例として挙げている。しかしこの歌が写生の歌であろうか、また平凡な歌であろうか。

上句は序詞であって、「煤けた妻」を引き出すための修辞であって、作者がいま現に難波にいて、目にしている情景とはとても考えられず、写生であるはずがない。

それにこの歌は平凡のむしろ真逆で、非常に技巧の尽くされた歌と言える。上句で妻を貶《けな》しておいて、下句では、一転、自分の妻を褒めるといったどんでん返しの展開は非凡で、技巧の粋《すい》と言ってもよい。酒宴の席での即興の歌でもあろう、この歌を聞いた人々は、思わざるお惚気《のろけ》に、大笑いしたに違いない。

洒落た、しかも品のある滑稽歌中の滑稽歌で、私が好きな一首である。でも茂吉とはまったく別の観点から好きなのであって、万葉かぶれした真面目な茂吉には、技巧の勝ったこのおふざけはとても理解できないだろう。

とにかく子規の極端な論理と茂吉の自分勝手な解釈が、時の風潮（明治、昭和のナショナリズム）とマッチし、人々に大きな影響を与え、余裕、優しさ、洒落、滑稽は姿を消し、身動きの取れない暗い軍国の世に突き進んでいた。

戦後70有余年、平和な時代を迎えたが、洒落と滑稽はいまだに戻ってきてはいない。

（2）難解すぎる近・現代短歌、あるいは平板でしかない歌ども

ここに3首だけ、現代短歌を挙げてみるが、歌の意味が分かる人がいたら手を挙げていただきたい。私にはとにかく皆目分からない。

『鏡をば虚空の中枢に射し入れて星を得たりしエドモンドハレー　春日井建』
『ガス室の仕事の合い間公園のスワンを見せに行ったであろう　小池　光』
『暑気払ひ　否、あざやかに決めたるは一本背負ひ　つくつく法師　永井陽子』

『現代短歌の鑑賞101』（新書館）には、この3人の作家の歌が、それぞれ30首ずつ選ばれているが、いずれも超難解で、1首として私には理解できない。

詩人・暁方ミセイが、鮎川信夫賞を受賞し、その贈呈式の折、挨拶でこんなことを言っている。

「現代詩は難解だと言われることがあって悩む時がある。でも分かりやすくしようとすると詩を薄めてしまう。みんなに届くようにすると、確かな人に届かない」

この論理、分からないでもないが、しかし文学というものは、みんなに分かってもらうことが第一義なのではなかろうか。自分の考え、思いをなんとかして大勢の人に分かってもらいたいがために、古来、物語作者や歌人・詩人は、さまざまな工夫や技巧を凝らし、そのことに命を懸けてきたのではなかったか。

本人だけが分かればいい、あるいは分かってくれる人に分かってもらえればいいという考えは、傲慢《ごうまん》であり私の理解の埒《らち》を超えている。

冒頭の3人の歌は、いずれも私から理解しようという気力すら失わせてしまう。一本背負いを食らって目を回しているつくつく法師のようなものだ。

そうかと言って、

『米あらふ白きにごりは咲き垂れし秋海棠《しゅうかいどう》の下ながれ過ぐ　伊藤左千夫』

『雀鳴くあしたの霜の白きうへにしづかに落つる山茶花《さざんか》の花　長塚　節』

『野分すぎてとみにすずしくなれりとぞ思ふ夜半《よなか》に起きゐたりける　島木　赤彦』


というような歌も味気ない。なんの工夫もなく、見たままありのままを記述しているだけで何を訴えたいのか皆目分からず、これでも歌なの？　と疑問が先に立ってしまう。分かりすぎるというのも困ったものだ。

この3人は正岡子規の直弟子（島木赤彦は子規に会ってはいないが）で、子規の歌論を実践し、大成した人々である。

（3）お粗末「笑点」を分析し、お笑い芸能人世相を少し切る

テレビ番組の「笑点」が、なぜあれほど人気があるのか、私にはとても理解できない。30分の間、聞いていて素直に笑えるものなど皆無で、聞いているのがつらくなる。もちろん今では見ることをすっかりやめてしまっている。

それでは、2019年5月19日に放送されたものをここに再現して、どこに問題があるのか見てみよう。

この日の第1のお題は、

「こんな医者は嫌！」

と思う例を挙げなさいというもの。それに対する彼らの「お答え」は次の通り。

「家族が風邪をひくと、他の医者に行かせる医者」（円楽）
「救急車のサイレンを聞くと、ワンワンと吠える医者」（木久扇）
「脈を取りながら、財布を盗る医者」（小遊三）
「笑点のテーマに乗って手術室に行く医者」（たい平）

「患者が帰る時に、『またね』と言う医者」（好楽）
「手術中に『あ、いけねえ。ま、いいか』と言う医者」（小遊三）
「患者を診《み》ずにパソコンばかり見ている医者」（三平）
「副業で坊さんをやっている医者」（好楽）
「余命宣言に相撲の行事のように『残った、残った　何カ月！』と言う医者」（たい平）
「頭が痛いと言ったら、こめかみに梅干を貼る医者」（木久扇）
「木久扇さんの脳のMRIを見て『この脳は新品です』と言う医者」（円楽）
「白衣の代わりにバスローブを着て、『お嬢さんまずシャワーから行きましょう』と言う医者」（小遊三）

この中に笑える回答があるだろうか。

木久扇の「ワン、ワン」などは何を言いたいのかそれさえ分からない。小遊三の「財布を盗る医者」って、いったいなんのことであろうか？　医者の暴利を暴《あば》きたいのなら、もう少し諷喩《ふうゆ》の程度を上げないといけない。

三平の「パソコンばかり」などは、病院でしばしば目にする事実そのままで、笑いの範《はん》疇《ちゅう》に入らない。

円楽の「脳のMRI」は、「またいつもの仲間の悪口」で、客は笑うが心ある客からは顰蹙《ひんしゅく》を買うだけ。

あえて合格と言うならば、好楽の「医者の副業」であろう。病室の隣の部屋に丈六の阿弥陀様なんてえのは、効率的でいい。好楽だけは、おおむね合格レベルの回答をしている。

第2のお題は、回答者に「落とし物をしてしまった！」と言わせ、司会者が「大丈夫？」と声を掛けるので、さらに補足しなさいというもの。あまりに意味のない回答ばかりなので、ここに挙げるのも憚《はばか》られるから、そのうちの三つだけを見てみよう。

「さあ、愛妻の料理をいただこう。あ、落ちちゃった」…「ほっぺたが」（三平）
「春風亭昇太師匠の落語を見たんです」…「目からうろこが落ちました」（三平）
「あ、100万円落としちゃった」…「困っている人が拾ってくれればいいがな」（円楽）

いずれも「笑点」のレベルの低さを証明している回答である。

三平が、おどおど回答をすると会場がしらけ、背筋に冷たいものが走る。この二つの回

答をした時も、さすがに会場全体に冷た〜い雰囲気が張り詰めた。パソコンでインターネットを見ていたら、

「三平の答えはつまらなすぎる」

とあった。誰もが感じていることで、「つまらない」ではなく「つまらなすぎる」は辛辣で、早く降板した方がいいという強い意思の表れにほかならない。才能のある落語家に早く代わってもらった方が、身のためになる。

円楽の「困っている人」は、仕方なく答えたようなもので、小学五年生の道徳の時間の模範解答に出てきそう。でも心ある児童は、内心薄笑いしていよう。彼は、時事問題で回答することが多いが、事実ありのままを勿体《もったい》ぶって報告するだけで、笑いと

寒いわスベるわ

は無縁である。円楽にはもっと才能があるのかと期待していたのだが、最近は努力の跡が見えず客を侮《あなど》っている。

第3のお題は、30年前の笑点メンバーの写真を見て、ひと言言うもの。しかし、これは仲間の悪口を言うだけなので省略する。案の定、最初の回答者・円楽は、小遊三、好楽、木久扇の3人の写真を持って、「よくこんな人たちで笑点持ちましたね」とやっていた。むしろ今のメンバーで笑点が持っていることの方が奇跡と言える。

いかに今の「笑点」が笑えないかを実感してもらえたと思う。テレビや実際の会場で見聞きしていると、動作や会場の雰囲気が加わるから、なんとなく笑えることもあるのだが、このように文字にしてみると、笑いとは無縁な回答が赤裸々に浮き彫りにされてしまう。以前はこんなではなかった。

それでは彼らの回答の何が問題なのか改めて整理しておこう。

・意味不明な回答が多い
・単に世相をなぞることでお茶を濁している

・素人と同じレベルの駄洒落《だじゃれ》を言っているだけで、落語家としての努力が欠落している
・いつも同僚の悪口を言うか、自惚《うぬぼ》れを言うか、またはぼけや好色を装ってみたりするかだけで、マンネリに陥っている
・大仰な動作で笑わせることが多く、品位に欠け、いわゆる洒落心には程遠い
・それに何よりも、お題がお粗末すぎる

演出者にも回答者にも、後世に残るような笑いを創造してやろうという気概がない。何よりも問題なのは、「言葉」を商売道具としているはずの落語家たちが、言葉で勝負しようとしないで、安易な回答ばかりを弄《ろう》して、その場しのぎをしている。

お客の素直さや無批判に救われているが、彼らは「笑点」という暖簾《のれん》に助けられているのだということを忘れている。深く自戒しなければならない。目が点になるほど笑える回答を聞きたいものだが、今のメンバーではとても無理である。

笑いのデパートであるはずの「笑点」メンバーがこの体たらくなので、そのほかのお笑い芸人は推して知ることができる。彼らは、裸を見せて笑いを取ろうとしたり相棒を叩いて笑わそうとしたりしているだけで、大仰に騒ぐことが「芸」と思っている節がある。

にもかかわらず、今のテレビ界はお笑い芸人に席巻されてしまって、司会もゲストもお笑い芸人ばかりが目に付く。ＮＨＫでさえ、朝の主要な時間帯をお笑いに任せている。アナウンサーはどこに行ってしまったのだろうか。アナウンサーも、ただ原稿を無難に読み上げればいいというものでもあるまい。洗練された言葉の訓練とともに、一場を仕切る司会者としての訓練などもしているのではないのか。

とにかく放送界を席巻してしまったお笑い芸人たちに、言葉がないことは致命的である。優れた洒落や滑稽は、皆、言葉から生まれているのだということに彼らは少しも気付いていない。

また、彼らの無能芸を無批判に受け入れている視聴者側にも問題がある。

神代からの伝統の洒落や滑稽は、今、すっかり姿を消してしまったようである。

6　よりよく伝えるために

前章の最後で、「神代からの伝統の洒落や滑稽は、今、すっかり姿を消してしまったようである」と述べたが、それはなぜなのだろうか。また本当にすっかり姿を消してしまったのだろうか。

まず安倍首相（注・当時）の話しぶりを例に考えてみよう。そして本当に「洒落や滑稽はなくなってしまった」のだろうか、よく探してみれば、あるいは庭の片隅に吹き寄せられたようにひっそりと咲いている花もあるのではないだろうか。現代短歌から探してみることにする。

（1）安倍首相の話しぶりって

安倍首相の話しぶりは、ノー原稿でよどみなく一見能弁に聞こえるが、心に響くような印象深いものは何もないと感じるのは私だけなのだろうか。

その原因の一つに、話がいつも尻切れとんぼで終わってしまって、意を尽くして話さないということが挙げられる。そのため心が込もらないので心に響くものがない。

G20が大坂で開かれた時の晩餐会で、諸外国のトップを前にして、首相は大阪城についてこう言及した。

「この城にはただ一つ、大きなミスがあります」

この言葉が物議を醸《かも》し、大阪城が炎上してしまった。「ただ一つのミス」とは、大阪城にエレベーターを設置してしまったことを言ったらしい。それが「障害者や高齢者を無視するものである」という批判につながってしまった。

この批判に対して首相は沈黙を貫いたので、事はうやむやのうちに霧消してしまったが、なぜ沈黙してしまうのか残念でならない。


というのは、城郭や寺社などの歴史的文化財は、可能な限り原形通りに復元するというのは当然のことであるからだ。首相が言う通り、大阪城のような城郭にエレベーターはそぐわない。首相は、そのことをなぜ堂々と言わなかったのだろう。

「理想から言えば、秀吉の創建当時のまま、淀君が偲《しの》ばれるよう再建してほしかった」と言えば済むのに。意見は意見として、自分の思いをきちんと説明すべきであった。そうすれば多くの人の賛同を得たに違いない。

それに何よりも、大阪城のエレベーター問題は、日本の文化財のあり方について人々にいろいろな考えを呼び起こすための恰好《かっこう》の呼び水になったはずなのだ。批判に対して沈黙してまったことが首相の「最大のミス」になってしまった。

障害者や高齢者のことが気になるのであれば、何かを例に挙げてひと言付け加えれば済むことではないのか。例えば、もし伏見稲荷の階段を修復する場合に、階段はすべてエスカレーターにするということになれば、誰もが相当の違和感を覚えるはずだ。

桜田義孝東京五輪・パラ五輪担当大臣（注・当時）など自民党議員が失言を繰り返している状況下にあっては、首相自らがうっかりした事は言えない事情には同情するが、できれば正論を述べてほしかった。そうすれば必ず人々の心を打つ。右顧左眄《うこさべん》する必要はない。残念ながらその余裕と勇気がなかったと言うしかない。

衆院予算委員会（20年7月）で「新型コロナウイルス」の問題が議論されている時に、東大先端科学技術研究センターの児玉龍彦名誉教授が参考人として意見を述べられた。具体的な例を挙げながら、「今置かれている日本の危険な状態」を切々と訴えていて、心打つものがあった。「切々」とは広辞苑にこう説明されている。

「うれいがありひしひしと心に迫るさま」

児玉教授は、時に声を詰まらせる場面があったが、それは自分の思いを人々にどうしても分かってほしいという強い思いがあったからであろう。人の心を動かすに十分な言葉のほとばしりと固い決心が感じられた。

「首相」といえば、日本で一番、国民と密接につながっている立場にある政治家ではないか。それも言葉を介してであることが多い。にもかかわらず「桜」の問題にしても何にしても安倍首相はいつも尻切れとんぼの説明不足に陥ってしまう。

これは聞く人を軽視していることにほかならない。言葉が守り刀であり武器であるはずの立場にいる人にもかかわらず、言葉の尊厳に対する尊敬の念が欠如していると言われても仕方がない。

時宜《じぎ》に適った言葉を選びながら誠意と余裕をもって話せば、1億の国民に膝を乗り出して聞きたいという期待感を抱かせ、印象深いものが生まれてくるはずである。

先に述べた源氏物語に登場する近江の君などに学べばいい。自分の政策がなかなか満足できる結果を得ない時などは、例のマージャン事件にちなんで、

「マージャンでいい手が来ない感じ」

とでもやれば、喝采を浴びること請け合いである。国民がテレビの前に釘付けになるよう

な、見事な桜の花を一度でいいから咲かせてほしい。その機会は毎日あるのだから。

（2）文章や話に工夫を

近江の君の話しぶりの最大の欠点は、信じられないほどの早口であることである。それについては彼女自身「舌の本性《ほんじょう》（もって生まれた性質）」と自覚をしてはいるが、容易には治らない。そんな近江の君を語り手はこう批判している。

「いくら良いことを言っていても、あれほどの早口では、せっかくの話も台無しになってしまう。話というものは、静かにゆっくりと話し始めなければならない。そうすれば聞く者は、何を話すのだろうかと興味を示し、耳を傾けるものである」

同じ内容を話していても、話し方で与える印象は全く変わってくる。聞く者の心にいかに沁《し》みて訴えることができるか、その心得をまとめると次のようになるのではなかろうか。

（ア）一本調子でなく、抑揚を付ける
（イ）声の高低や強弱に気を付ける
（ウ）間をもって話す

（エ）過去の文物や眼前の事象あるいは具体例などを入れる
（オ）洒落や比喩などを活用する
（カ）大事な点は繰り返し（リフレーン）を使う

これらの項目のうち、何かが欠けると訴える力は大きく減じてしまう。改めて安倍首相の話しぶりを振り返っていただければと思う。もっともこれは話をする上でのいわば技術であって、話の内容が悪いのであれば問題外であるし、児玉教授のようにどうしても聞いてもらいたいという「切々」たる思いが底に流れていなければならないことも当然である。（エ）（ア）（イ）（ウ）は、中学校の国語の教科書にも出てくる話す上での心構えである。（オ）は、紫式部や古今集の歌人たちが盛んに使った方法である。

ここでは（エ）について考えてみよう。

釈迦の話は非常に魅力的で、聞く者の心を捉《とら》えて離さなかったという。中でも釈迦の「対機説法」は優れたものであった。教えを聞く人の能力、素質、その場の状況に応じて法を説くことが「対機説法」で、『阿含経《あごんきょう》』などには、この説法がしばしば出てくる。例えば、琴の得意な弟子に向かっては、

「弦が緩《ゆる》く張ってあったら音はどうなる？」

と聞く。すると弟子は「それではいい音は出ません」と答える。さらに釈迦は、

「ではきつく張ってあったらどうか？」

と畳み掛ける。弟子は「それも当然駄目です」と答える。そこで釈迦は、

「緩急よろしきを得て、美妙の楽が生じる。同じように、極端な苦行を行うことも安楽な欲楽に耽《ひた》ることも、ともに良き結果を得ない」

と説く。琴の達者な弟子は、釈迦の言葉で人生のあり方に思い至ったことであろう。


また、燃え盛っている薪《まき》を信者に指さし、次のような問答をする。

「火は何によって燃えているか？」

「薪です」

「火が消えた時、その火はどこに行くか？」

「それは薪があったために火があったのであって、薪がなくなれば火はありません」

このような問答の後、釈迦は、

「貪欲《どんよく》（むさぼりのこと）、瞋恚《しんに》（怒りのこと）、愚痴という薪があるために人の苦しみは起こる。その大本を消すことによって、一切の苦しみから解放される」

と説くのである。目の前の具体物を取り上げて、懇切に真理を説いていく釈迦の論法に弟子や信者は、納得せざるを得ない心境に追い込まれていく。

最後に、コーサラ王とその夫人の話をしよう。王と妃が、城の高楼に登ってその眺望を楽しんでいた時に、王が、ふとこんな疑問を夫人に漏らす。

「世界中で一番愛《いとお》しく思うものは何かと問われれば、『自分』と答えざるを得ないのだが、お前はどうか?」

すると妃も、しばし考えた上で、

「私も王様と同じです。自分以上に愛しいと思うものは考えられません」

と答える。二人は釈迦の所に行って、人間ののっぴきならない利己愛について質問をする。そこから釈迦はこんな経を導き出す。

リコ愛

人の思いは、いずこへも赴《っ》くこともできる
されどどこに赴こうとも　おのれよりさらに愛しいものを見出すことはできない
それと同じく、他の人々も、自己はこの上もなく愛しい
されば、おのれの愛しさを知るものは、他のものを害してはならない

自分たちの日頃の悩みを経の中に取り入れ、それから帰納して諄々《じゅんじゅん》と真理を説かれれば、心打たれ、それを実践しなければと思うのが人間の自然の姿であろう。コーサラの王は、王としての権威を振りかざすことなく、民のために優しい政治を行ったのではなかろうか。

話や文章の中でも、聞き手・読み手が、現在どのような状況にあるかを捉えながら、具体的な例や比喩をもってすれば、相手の理解はますます容易になる。

私の教員生活38年の間、一番困ったのが、小学校の校長をしていた時の朝会である。月に1度、校長はこの朝会で「講話」をしなければならない。中学校には慣れてはいたものの、1年生から6年生まで、成長段階が全く異なる小学生を相手にどう話したらよいものか、あんなに苦労したことはなかった。

そこで思い付いたのが、できるだけ具体的に話そう、子どもたちが今、目の前にしているように話そうということである。

校庭に二宮金次郎の像があったので、その話をする時には、小田原の尊徳記念館に行って、尊徳の事績をこと細かに辿《たど》ったり、酒匂川に行って、尊徳が植えたという松を両腕に抱えて、彼の思いを実感したりして、子どもたちにできるだけ生身の二宮金次郎を知ってもらえるよう図った。また、恐竜の話をする時には、上野の科学博物館に行ってフタバスズキリュウの模型を実際に見て、血の通った話をしようと努めた。

(3) ひっそりと咲く花

現代短歌をあれこれ当たっていたら、本当に庭の片隅にひっそり咲くように洒落た歌が見つかった。そのいくつかを挙げてみよう。

『蓮《はす》の葉の上に転《まろ》べる露の玉　人間しんぼう私びんぼう　石田比呂志』

上句と下句の関わりは必ずしも定かではないが、「蓮」と言えば極楽を思い浮かべるから、

私貧乏　それでも辛抱

恐らく死と関係があるのだろう。その葉の上に置く露と言えば、清らかにして濁りのないものであるから、人間辛抱していれば、必ず清らかな境地に至り、あの世、つまり極楽に行けるかもしれないという意味ではなかろうか。

この歌の特色は、一読して分かるように下句の七・七であろう。類似音を重ねて軽快なリズムをつくり出した。しかも「しんぼう」に対して「びんぼう」という意表を突く語で締めている。これには思わず笑ってしまう。いくら辛抱して清らかな境地に達したとしても、

「私、貧乏だから、とても極楽まで行く交通費がありません」

と、あまりにも現金に物事を結論付けようとしている。あるいは筆者の読み過ぎがあるかも知れないが、いて、これでは地獄も極楽もなくなる。

とにかくおかしい。

『疲労つもりて引出ししヘルペスなりといふ　八十年生きれば　そりやぁあなた
斎藤　史』

確かに80年生きていると体はがたがた、どこにどんな障害が出るか分かったものではない。医者はもっともらしく「疲労が積もって云々」と宣告されるが、「そりゃあ、あなた」と言いたくもなる。上句の「つもりて」とか「引出しし」とか「なりといふ」とかの文語調に対して、下句は口語そのままで、「そんなこと分かっているわよ」と吐き出すような口調になっている。恐らく医師に向かって言ったものであろうが、医者も苦笑いしていたことだろう。

「そりやぁあなた」が秀逸である。私もこれから使おう。

『雪の夜の鍋のとんとんとんがらし　ハラヒリホレと舌を見せ合ふ　小島ゆかり』

この歌は「とんとん」と「ハラヒリホレ」の擬音語、擬態語の響きに尽きよう。しかも、この「とんとん」は、鍋が煮立っている音を表しているようにも聞こえてくる。と同時に「とんがらし」を引き出すための序の働きもしている。また、熱くて辛くて我慢ができない様が、「ハラヒリホレ」に見事に集約されている。「ふーふー」荒い息を吐きながら「ハラヒリ、ホレヒリ」と喚いている姿は傑作である。未だかつてこんな風変わりな歌に出合ったことはない。幼稚な感じの歌であるように見せ掛けながら、意外や、なかなかの技巧の勝った歌である。

結句の「舌を見せ合ふ」からは、家族団欒《だんらん》の楽しい会話が直に伝わってくる。

『結婚は長丁場ゆえいたずらに愛の有無など
問うたりはせぬ　　久々湊盈子《くくみなとえいこ》』

愛ほど不確定なものはない。古今集の歌人たちが、愛というものを追求してやまなかったのは、愛というものには、変化してやまない面白さがあるからだ。

ハラヒリホレ

結婚してその都度、相手の愛の深さを確かめるほど愚かなことはない。結婚生活は40年、50年の長丁場なのだから、結婚当時の熱々《あつあつ》など望むこと自体しょせん無理なのである。道浦母都子《もとこ》の歌に、

『水の婚　草婚　木婚　風の婚　婚とは女を昏《くら》くするもの』

がある。ここに銀婚、金婚が入っていないのはなぜか分からないが、夫婦の愛など長くは続かないとでも言いたいのだろう。愛の度合いをしつこく確かめるような夫婦は、せいぜい「風の婚」が限界と言いたいのかもしれない。ところで「木婚」は結婚5年目だけれども「風の婚」って何年目？「昏」は、「黄昏《たそがれ》」や「昏睡」にも入っている。いずれにしても結婚の前途は真っ暗で安泰ではない。

『この度も除目《じもく》沙汰無く　ほころびて　あさぎざくらは裏庭に生ふ　紀野　恵』

この歌はやや難しいので、いささかの説明を加えておかなければならないだろう。まず「除目」とは、平安時代、春、秋2回行われていた官位を定め、任命する儀式のことである。この時、都に残る者の官位や地方に赴く受領などが定められ、辞令が出された。この儀式は、貴族たちの最大の関心事になっていたが、この男、今年も何の官職も得られ

なかったようだ。

「あさぎざくら」とは、緑がかった萼《がく》を持ち、地味でもの寂しい白い花を咲かせるという。しかもその桜が裏庭に咲いているというのだから、もう絶望的である。除目で思うような官位を得られなかった男の心境を、このあさぎ桜が的確な譬《たと》えになっている。

この歌の特徴は、三句の「ほころびて」にあろう。せっかくの期待が「ほころんで」しまったことと、あさぎ桜の花が「ほころぶ」の意を掛けている。技巧を駆使して、動かし難い悲しい現実を滑稽に表現している。

この5首、いずれも技巧を操って、人生というものの不条理や悲しさや可笑《おか》しみを、実に洒落て表現していて、笑いを誘う。この洒落の技法を話の中や文の中に取り入れることができれば、自分の思いをより印象深く相手に伝えることができる。

わずか5首しかここには出せなかったが、あさぎ桜が目立たない所に咲くように、まだ目立たない所にこんな楽しい歌がひっそり咲いているのかもしれない。

7　洒落に囲まれて

和田アキ子が、加山雄三に向かってこう言ったそうである。

「たとえ駄洒落《だじゃれ》でも、洒落を言えるってことは、頭がいいってことよ」

こう聞いた加山雄三は、「和田アキ子からお墨付きを頂いた」とでも言うかのように以前にも増して洒落を連発しているという。洒落を言えることが、頭が良いことにつながるかどうかは別として、とにかく若大将はいまだに若い。

私の旦那《だんな》寺の住職も洒落が好きな方である。先日、この寺で、合葬式の永代供養墓が完成し、その供養が行われた。5メートルほどの高さの四角錐《すい》で、まるで小ぶりのピラミッドに見える。驚いたのはこの塔の名が、

「ぴらみ堂」

なのである。「あ、住職、こんなところでも日頃の洒落を発揮したな」と思って、命名の由来を聞いてみると、「よくお気付きで」とおっしゃる。やはり「ピラミッド」を掛けていたのだ。それにしてもこの寺はエジプト王朝とはなんの関わりもないのだから、的外れ

である上に、少々大胆すぎる命名ではあるまいか。

そこで、さらに詳細を聞いてみると、「ぴらみ堂」の謂《い》われには、深い意味が込められていた。

この寺は日蓮宗で、宗祖・日蓮様が、江の島の龍の口で法難に遭われたことがある。なんとか命は取り留めたものの、結局、佐渡に配流の身となってしまわれた。佐渡へ落ちていかれる途路、この寺の付近を通られた時に、路傍に立派な枇杷《びわ》の木があって、それを日蓮さまは感慨深げに眺めておられたそうだ。

この故事に基づいて、この寺の近くに「枇杷御堂《びわみどう》」というお堂を造り、後にそれをこの寺に移したのだと言う。

そういえば、この寺から1キロほど離れた落合というところに、昔、「びわみどう」という塚があって子どもの頃その塚に登ってよく遊んだ。今でも

ぴらみ堂　大法寺　綾瀬市

形こそ変わってしまったようだが、新幹線の縁にあるそうだ。大人になってからも「一里塚みたいなものだったのだろう」ぐらいで、そんな由来があろうとは思いもしなかった。

旦那寺の「ぴらみ堂」は、この故事に因《よ》っていた。四角錐の形から永遠のピラミッドを意味するとともに、日蓮様の故事である「枇杷御堂」をも掛けていたのだ。

前章の「ひっそりと咲く花」やこの二つの例からも分かるように、日本人の洒落好きはまだまだ生き残っていることが分かり、ほっとさせられた。私はそんな洒落に囲まれて今後も生きていくことができたらと思っている。それでは、最近私が目にし、耳にした洒落、あるいは自作の洒落を、なんの脈絡《みゃくらく》もなく列挙してみよう。

（1）新聞・テレビ、そして本から巷《ちまた》から

NHKが、オーストラリアのある居酒屋の様子を報道していた。この店には多くの高齢者が集まってくる。店の一番奥には、今は亡き友人（元軍人）たちの写真が飾られていて、そこで昔を偲《しの》びながら飲むのが、彼らの楽しみなのだそうだ。

リポーターが、一人の老人に「あなたが軍人だった時の位はなんだったのですか?」と

聞いた。するとその老人、

「将軍」

と得意になって答える。ところがその映像の後ろには「これ嘘↓」という表示が映っているではないか。「将軍など、とんでもない嘘！」ということらしい。

今度は、リポーターは別の老人にマイクを向け、「軍人になる前の職業はなんでしたか？」と質問した。すると、

「脳外科医」（これも嘘っぽい）

彼はさらに話を続けてこう言う。

「でも患者は一人も診たことがない。オーストラリア人には脳がないからね」

やっぱり大嘘であった。

それにしても自国の人を「脳がないからね」とは、自国蔑視《べっし》そのもので、後で批判されてしまわないかと心配になった。もっともあの国は気候温暖で、暢気《のんき》に暮らすことができるらしいから、次第に脳が退化していったと考えられなくもない。

いずれにしても、オーストラリア人のあけっぴろげで屈託のない性格が出ているリポートで面白かった。

桃子　飛ぶ

大坂なおみや大谷翔平や羽生結弦、あるいは上田桃子など、スポーツ選手に関わる話に面白いものが多い。ここでは上田桃子と藤川球児及びハルウララに関わる話を挙げておこう。

19年のヨネックス女子ゴルフ大会で、上田桃子がぶっちぎりの逆転優勝を果たした。最終日の前夜、彼女がある居酒屋に入ったら「屋守《おくのかみ》」というお酒が目に入った。そのお酒のラベルにはこんな文句が書かれていた。

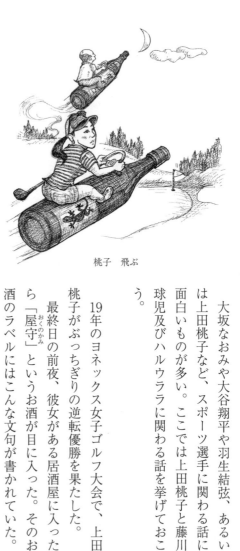

「喜怒哀楽をコントロールする」

そこで彼女は二口ばかり飲んでみたところ、

「自分らしく攻めようという思いに至った」

そうだ。「一打一打に一喜一憂しないで、自分のゴルフを貫けばいい」という思いであろう。

翌日、3位からスタートした彼女は、8バーディ1ボギー通算13アンダーという猛チャージで、2位に6打差をつけてしまった（スポーツ報知）。

これは、彼女の力量の賜《たまもの》であって、「屋守」のラベルの文句を信じたからではあるまい。喜怒哀楽などというものはそう簡単にコントロールできるものではない。だから、上田桃子にあやかって「屋守」を飲んでみようなどしない方がよい。

もっとも私の場合は酒によって（酔って）、「怒」と「哀」は消すことができるが、「楽」と「喜」ばかりはとめどなく助長してしまって、コントロール不能になる。

お酒の文句を素直に受け入れる上田桃子の人柄というものが分かる微笑ましいエピソードである。

阪神の藤川球児投手が今季（2020年）限りで野球をやめると意を決した。その引退会見が開かれたが、その時の彼の言葉が出色であった。

「いつつぶれてもいいという覚悟でやってきました。粉骨砕身という意味で…」

右肘を傷めての彼の選手生活はまさに「粉骨砕身」である。そもそも「球児」という名前が彼の野球人生を象徴していて洒落ている。

彼は四字熟語が好きなようで「切磋琢磨《せっさたくま》」とか「有言実行」とか「速戦即決」とかいう言葉がごく自然に出てくる。一部感極まって言葉を詰まらせるところはあったが、全体を通して彼の持って生まれた明るさが出ていて好感が持てた。阪神の矢野燿大監督であったか「彼には野球以外の才能もある」と言っていたが、引退後は別の世界でも大活躍しそうである。

「ハルウララ」という競走馬がいて、なんとしたことか113戦して113敗だという。武豊が乗馬しても10位という体《てい》たらくだったそうだ。

それはそうであろう。競走馬ともあろうのに「ハルウララ」はない。誰が付けた名やら、蹴飛ばしてやりたい。春のうららに弁当でも首に下げて野山に散歩に行かせるか、皐月賞でも見物させてやるのが、この「名馬」には相応《ふさわ》しい。

せいぜい「フユツララ」とでも名付けていれば、一勝くらいできただろうに。

滋賀県の琵琶湖に近い高月《たかつき》町という所に「渡岸寺《どうがんじ》（別に向源寺とも）」という寺がある。国宝十一面観音で有名な寺で、旅行好きの教え子が、やはり旅行好きな私に向かって、こんなことを言ったことがある。

「先生、渡岸寺の十一面観音は見ている？」

「旅好きな先生だから、当然見てはいるだろうけれども…」というニュアンスがこもっていた。私は見たこともなかったし、そもそも渡岸寺など知りもしなかったので、なんとなく教え子に後れを取ったような気がした。

その十一面観音に、この5月、逢いに行った。教え子の話を聞いてから、既に30年は経っていよう。

高月の駅を降りるとすぐの、寺への通りにこんな碑が建っていた。

『みな人の迷いの海は深くとも　法の舟にて渡す岸寺』

「あら、なんとこんなところに洒落が使われている！」とあきれた。歌の意味は明解でなんの迷いもない。それにしても「渡す岸寺」とは、いささか安易すぎ、いわゆる駄洒落《だじゃれ》に落ちている。下句は、

「美貌観音　彼岸《ひがん》に渡す」

とでもした方がはるかに高尚で良かった。何しろこの観音様は、誠に美貌でいらっしゃって、『琵琶湖・若狭湾』（昭文社）にはこんなふうに説明されている。

「天平の美をなまめかしいまでに秘め、あでやかにしならせた腰の配りなどは、官能的な妖《あや》しさを心憎いまで漂わせている」

滋賀県の観光情報にも、こうある。

「日本全国に七体ある国宝十一面観音の中でも最も美しいとされる」

観音様は、左手に瓶を持ち、右手を前にしなやかに差し出しておられる。寺の説明によれば、

「この瓶は、薬瓶でも酒壺でもありません。桓武天皇の御代、各地に流行《はや》った痘瘡《とうそう》を癒《い》やすために、永遠に湧き出る清らかな水を、帝が観音に託されたものです」

というありがたいものであった。右手は衆生に向かって、「この水を、どうぞ」と言うように優しく差し伸べている姿であった。もちろん柔和な微笑を湛《たた》えながら。

こんな観音様だったら、どこまでもついて行きたい。そして清らかな水を傍らに置いて、彼岸への川岸で、観音様手ずからその清らかな水を注いでいただければと思う。ついでに酒も注いでいただければどんな「迷い」も消えてしまう（かな？　逆に色欲の迷いは深くなるか）。

渡岸寺の美貌観音にあやかって小林一茶の2句。

『春雨に大欠伸《あくび》する美人かな』

『ああ寒い　あらあら寒い　彼岸かな』

鎌倉の光明寺に行ったら、寺の本堂で催されるというピアノの演奏会のお知らせが、庭の掲示板に貼られていた。その文句が、

「昼下がりの時悠耳感　～ピアノの調べに身を委《ゆだ》ねて～」

であった。「昼下がりの時悠耳感《じゆうじかん》」とは洒落た文句ではないか。

もともとピアノは、寺にはそぐわない楽器という感じがする。寺といえば木魚か太鼓か銅鑼《どら》が定番ではあるまいか。

でも、寺の本堂のあの空間は、何か現世とは隔絶した別世界のような雰囲気を醸《かも》し出しているから、あのだだっ広い異空間で、ピアノを聞いたら、確かに時というものから解放され、自由ならぬ「時悠」の世界に遊べるかもしれない。

また、耳も通常の感覚とはまるで違ってしまって、ピアノの演奏に伴って何処からともなく流れてくるお経に身を委ねる（耳感）ことができるのかもしれない。

さすがに鎌倉で、洒落も苔むしている。

退職校長会の「散策の集い」で、多摩動物公園に行った時、昼食は高台にあるワライカワセミの獣舎の前で取った。私とW氏が、市内小中学校の学力の問題について、やや興奮

オランウータンも笑っていた　多摩動物公園

気味に議論している時である。塒《ねぐら》から突然ワライカワセミが飛び出してきて、

「わ、は、は、は、は、は…」

と笑いながら金網の前の止まり木に止まるや、ぴたりと笑いやんだ。今まで議論してきた深刻な話がむなしく思えてきてそれなり議論はやめてしまった。

それにしても「ワライカワセミ」とは見事な命名で、これ以外に付けようがないほど人の笑いと一分の違いもない。もちろん彼には笑っているという意識などないのだろうが。

2020年7月、九州地方を襲った豪雨で球磨《くま》川が各所で氾濫した。熊本県人吉市にある焼酎の酒造元「大和一酒造元」も、3000本の酒瓶が水浸しになるという大惨事に遭った。社長が、再建もままならない現状に肩を落としながらテレビのインタビューに応じていたが、こんなことを言っていたことに驚かされた。

「酒が水に飲まれてしまった」

大惨事を被ったにもかかわらず、この余裕はどこから出てくるのだろう。社長の芯《しん》の強さを感じるとともに、この会社はすぐにも再建することだろうと確信した。

こんな諺《ことわざ》がある。

「一杯は人酒を飲む、二杯は酒酒を飲む、三杯は酒人を飲む」

さて、人吉の酒造元の場合はなんと言ったらよいのだろうか。


テレビで、「もやしの効能は大である」という番組をやっていた。早速、もやし料理が出てきたが、これがすこぶるの「大盛り」。驚いたリポーター、

「これ、もしやもやし？」


テレビ東京の「進化する銭湯」をテーマにした番組を見ていた。最近の銭湯にはいろいろ変わったものがあるものだと感心した。岩盤浴はもとより、リラックス部屋があったり勉強部屋があったりストレッチ部屋があったり、中にはデラックス食堂まであって、あたかも一大レジャー施設の趣である。

「でもこんな立派な銭湯、全国的にはそうあるものではないのでは？」

「スーパーセント」

山本周五郎の時代物に登場する江戸の女性は皆、

「切れ長な、つぶらな眸《ひとみ》」

「ほっそりとした柔和な顔立ち」

「餅のような肌」

「柔らかな丸みのある肩」

「しっとりと落ち着いた、背戸の日陰にひっそりと咲く無名の花のよう」

ああ、江戸に生まれていればよかった。

ところで男はと言えば、

「濃い眉、一文字に結んだ意志の強そうな口元」

ああ、江戸に生まれなくてよかった。

(2) 私と洒落

古今亭志ん生の自伝『なめくじ艦隊』(ちくま文庫)の中にこんな文章がある。

「落語てえものは、聞いていて決して害になるもんじゃない。落語ぐらいためになるものはありませんよ。落語を聞いていると、自然と人間のかどがとれて、柔らかくなってくる。柔らかくなってくれれば、言うまでもなく人々のあたりがよくなって、物事が丸く収まる…」

誠に示唆《しさ》に富んだ言葉で、確かに落語というものは聞いていると人間の角が取れてきて、心持ちが柔らかくなる。それによって対人関係も良くなり、物事が丸く収まる。それに世渡りのコツも身に付く…志ん生のおっしゃる通りである。

洒落も同じことが言える。洒落は、自然にその人をも聞く人をも柔らかな気持ちにさせ、それが物事を丸く収める基になる。

ここでは私の周辺で拾った洒落や、私自身が言ったり思い付いたりした洒落のいくつかを挙げてみることにする。

［妻と私と］

大和市では月に1度、骨董市が開かれる。ある時、私が急に骨董市に行きたくなり、妻にも「一緒に行こう」と声を掛けた。妻は何やら支度に手が掛かっているらしくなかなか出てこないので「ほら、行くぞ、早くしなよ」と促《うなが》すと、

「だって、化粧もまだ済んでいないのだから」

とぐずぐずしている。そこで言ってやった。

「いいんだよ、どうせ古いものを見に行くんだから」


妻の中学校時代の同級生であるN氏が、春に叙勲されたのを祝って、同級生何人かが集まっていた。その席で妻のことが話題になっていたらしく、夜中に妻に電話が次々かかってきた。

そのうちなんと、N氏とは同級生ではないはずの市長からもかかってきたので、私の出番になってしまった。市長がこんなことを言われる。

「福島さんの奥さんは、中学校時代みんなのマドンナだったんですってね」

「そうです」とも言えないので、こう言ってはぐらかしてしまった。

「その点は、まあどんなものなのでしょう」


かつて伊能忠敬展をやっていたので、妻と江戸東京博物館に行った。忠敬は日本全国の海岸線を隈《くま》なく測量して回った。それぞれの土地で測量を手伝う人夫を雇うのだが、採用の条件が三つあった。それは、

1　しゃべらない
2　酒を飲まない
3　病気をしない

である。これを見た妻は手を打って大はしゃぎ。

「あなたは、絶対、採用されない！」

ベランダにやって来るキジバトに餌をやっているが、実に身軽い。植木鉢の支柱に止まっても支柱はびくともしない。そこで妻に何気なしに言った。

「鳩の目方って、どのくらいあるのかな?」

すかさず妻は言う。

「そんなに知りたいのなら、庭に体重計を置いておいたら」

先日も辛辣な言葉が返ってきた。厚表紙でしっかり装丁された『日本地図』をひょいと

出立　深川富岡八幡宮

持ち上げようとした途端、腕の筋肉を傷めてしまった。すかさず妻は言う。

「日本を持ち上げたわけでもないでしょうに…」

ついでにもう一つ。写真を整理していたらドクダミの花らしいのがあったので、妻に「これドクダミだよね?」と手渡すと、突っ返して、

「嗅いでみたら」

これがかつて山鳩のように愛らしく、マドンナであった我が妻であろうか。

母からの遺産相続の土地を駐車場にしていたが、利用者がない。そこで「物置でも建ててしまおうか」と言うと、妻が聞く。「何を入れるの?」

「入れるものを買いに行こうよ」

正月の三日、地域の方々に夫婦円満の模範を知らしめてやろうと、仲良く出掛けた。近くのスーパーに入ったら、妻の姿が見えなくなって、帰りは一人で帰ってきた。

矢切の渡しのところに来たら、夫が「連れて…逃げてよ~♪」と下手くそな歌を歌いだ

した。あきれた妻、

「ここで、あなたとの縁切りの私」（この夫と妻は、私でも私の妻でもない）

いつも米粒をやっているスズメ夫婦の夫の方が、大層私になれていて、餌がなくなると濡れ縁に上がって、身を乗り出すようにして部屋の中をキョロキョロ覗《のぞ》き回る。その愛らしい姿に惚《ほ》れ込んで、名前を「次郎」と付けてやった。ついでに彼の妻の名は「花子」にしておいた。

最近、夫婦は隣の家の屋根に巣を作って育児に忙しい。私のところに餌を取りに来ては雛に運んでいく。そして15秒でまた戻ってくる。戻ってくる時の姿がなかなか鮮やかで、翼を広げて滑空したかと思うと、ひらりと身を翻して舞い降りる。

ふと思った。

「あれ、隣の家は〝佐々木〟さんではないか。ということはあの子は佐々木次郎ということになる⁇」

道理で、わずか15秒で戻ってくるはずだし、ひらりと身を翻して鮮やかに降りてくるはずだ。まさに「燕返し」。とすると、花子はいずれ寡婦《かふ》になる。

スズメに毎日餌を与えているのは、私なりの魂胆があるからだ。いずれ恩を感じた彼らが宝石でも咥《くわ》えてくるのではないかと楽しみにしている。

先日、1羽のスズメが白い大きなものを咥えてふわりと庭に舞い降りた。「嬉しや！　真珠ではないか」と期待したのだが、よくよく見ればヒナの糞。「そんなものではだめ、もっといいものを持ってきなさい」と意見したが、フンでもない。

それでも毎夕彼らをササの相手にして楽しく飲んでいるから、満足。


古典落語に「青菜」という演目がある。ある隠居の庭仕事を終えた植木屋が、隠居から酒を勧められる。酒の途中、隠居は奥に向かって、「奥や、植木屋さんは菜が大好物とおっしゃるから、持ってきておくれ」と声を掛ける。すると奥さんがこう返事をする。

「鞍馬山から牛若丸が出《い》でまして、その名も九郎判官」

今度は隠居が、

「ああ、義経にしておこう」

ササを相手に

不審に思った植木屋、後で隠居からその意味を聞くと、『名（菜）も食らう（九郎）ほうがん』。それなら「良し（義経）にしておきな』というわけ」すっかり感心した植木屋、誰かに言ってやろうと自宅に友だちを引っ張り込む。しばしあって、彼は「奥や…」と声を掛ける。と、奥さん、押し入れから転がり出てきて、夫に教わったばかりの例の返答をする。ところが、

「名も九郎判官義経」

と最後まで言ってしまった。困った植木屋、

「…それでは弁慶にしておきな」

史実を絡《から》めた高級な洒落のやり取り。私もこのご隠居さん夫婦のようなやり取りを一度でもいいから妻としてみたい。

［健康でいたい］

最近は医者に行くことが仕事になっていて、「我が日程　八割方が　医者通い」という状態である。ただ素直に医者に行くだけでは面白くないから、最近は女性看護師さんをよ

くからかっている。

注射をする時、看護師さんは必ずアルコール反応の有無を聞く。先日も、

「アルコールは大丈夫ですか?」

と聞くものだから、こう答えたら、くすっと笑っていた。

「大丈夫です。毎晩飲んでいます」


娘に「最近は体にガタが来ていて、悪いところが10カ所もある」と言ったら、

「お父さん、悪いところばかり数えてないで、良いところを10カ所数えれば」

と厳しいことを言う。

「10カ所も良いところを挙げろって言っても、顔ぐらいしか思い当たらない…」


ある朝の大便がとてもきれいだったので、独《ひと》り言《ご》ちた。

「一点の汚れもない」


毎日、家事だ買い物だと飛び回っているのに、妻の万歩計の具合が悪く、いくら歩いても1日200歩か300歩にしかならないという。ところが私が付けて歩いてみるとごく

普通に計測する。そこで、

「あなたは足が地についていないのだよ」

80歳の声を聞いた途端に、耳の聞こえが悪くなった。もっと早く耳が悪くなっていれば、80の声を聞かずにすんだのに…。

そこでできた句。

「我に　妻　何丁先まで届く声」

この「何丁」は、もちろん「難聴」を掛けている。深窓育ちの妻は、元々声が小さく私には聞こえにくかったが、私を慮《おもんぱか》って、最近は深窓をも破りかねないほどのでかい声で話すようになった。おかげで家庭に活気が出てきた。

そんな状況にある時、神奈川新聞の「歌壇」に本田廣喜という方の、私には身に沁《し》みる歌が載った。

『補聴器の電池取り替へ　手の平のパラボラで聴く敏行の秋』

「パラボラ」とは、パラボラアンテナのこと。「敏行」とは、藤原敏行のことで、百人一首の「秋きぬと目にはさやかに見えねども　風の音にぞおどろかれぬる」の作者。私はまだ補聴器は使っていないが、テレビの音が次第に聞こえなくなってしまって、よく手の平をパラボラアンテナにして聞いている。

最近は、足腰の筋肉が衰えているのだろう、立ち居が不自由で、特に立ち上がる時には物につかまることが多い。

椅子の肘につかまって「よいしょ！」と掛け声を上げながら立ち上がるところを見ていた妻、

「おじいちゃん、つかまり立ちが上手になったたね」

ここのところ腰の具合がどうも良くない。ひょっとすると広島の銘酒「賀茂鶴」を35年間も飲み続けたせいかもしれない、ということで今度は新潟の

新発売

「越乃寒梅」に変えてみたが、相変わらず腰の塩梅は良くない。

私の兄も随分ふざけた人で、私が「最近は寄ると触《さわ》ると病気の話になっちゃって…」と言うと、

「それはそうだ。病気の話は面白い」

知り合いが、大病院で胆石摘出手術をした。手術の前に意識がもうろうとしてきたので思わず叫んだそうだ。

「救急車!」

新聞の折り込みに、「待望の新規オープン。御招待!」という立派なパンフレットが入っていたので、何事ならん、と期待に胸膨《ふく》らませて開いて見たら、

「大和墓苑、新規オープン」

「食品は、毎日30品目取る必要がある」と知った男、23品目までは取れたが、後が取れない。そこで残りを七色唐辛子で取った。(これは他人の作)

［酒に生きる］

酒を飲み始めて50年。最初はビールだウイスキーだジンだと定まらなかったが40歳を過ぎてからは日本酒一本となった。それも広島西条の「賀茂鶴」が定酒となって35年、そろそろ東広島市から表彰されるはずである。

「西条」と言ってもなじみがないかもしれないが、以前は日本の三大酒と言えば、灘、伏見、西条と決まっていた。特に賀茂鶴は飲みやすさが抜群で飽きない。これを足元に置いて、暮れなずむ頃、広大な10坪ほどの庭の草木にあれこれ話し掛けながら飲む、これをこそ「至福の時」というのだろう。

にもかかわらず、厚生労働省が「飲酒のガイドライン」というお節介な指標を出した。アルコール健康医学協会「適正飲酒の10か条」によれば、

その1、「談笑し楽しく飲むのが基本です」

私のように、毎夕、庭を見ながら一人で飲んでいる者はどうしたらいいのか狼狽《うろた》えてしまう。間違いはないのだろうから守らなければならないが、そうかと言って、一人でぶつぶつ言いながら、時にニヤリとしていたら、ついに酒で頭をやられたかと思われてしまう。

その4、「つくろうよ週に二日は休肝日」

これはもう、私にエベレストに登れと言っているようなもので、所詮《しょせん》無理な要求である。たとえ厚生労働省のご推奨だろうが、こればかりは守るわけにはいかない。週に2回も酒が飲めないとなれば、欲求不満でストレスになり、命を縮めてしまう。

厚生労働省という所は、国民に「こうせい、ああせい」と難題を吹っ掛けて悦に入っている省と見た。


某クリニックセンター所長の話。7年間2万人の追跡調査をしたところ、

「酒を飲まない人の死亡率を1とすると、飲む人の死亡率は0・64。がんでの死亡率は0・53」

この所長さんは名医に間違いない。


吉田兼好も酒について、厚生労働省のようなことを言っている。

『百薬の長とはいへど、万の病は酒よりこそ起れ。憂へ忘るといへど、酔ひたる人ぞ、過ぎにし憂さをも思ひ出でて泣くめる（泣くようである）』

ただしこの後、彼は、「月の明るい夜や雪の降った朝、あるいは桜の花の下で、のんび

りと話をしながら杯を交わすことほど興趣深いものはない」と酒の良さを滔々《とうとう》得々と述べている。厚生労働省とはいささか出来が違う。

［バーナード・ショーの言葉］

「禁煙なんて簡単さ。俺はもう百回もやっているからな」（バーナード・ショー）

広島の西条に行った時に、賀茂鶴酒造に寄った。その塀に文人墨客の酒に関する一言がずらりと張られていた。そのうちの山田風太郎、

「酒を飲んではいけない病気持ちなのだが、相変わらず毎日大杯を傾けている。結局私は、何かの病気で死ぬだろうが、酒のために死ぬことになるだろう。ぜいたくを言わせてもらえば、桜がほころびかけた早春三月の末頃、

賀茂鶴酒造　広島西条

おいとまさせていただければありがたいと思う」

お酒を残しておいたら、妻がお銚子にラップをかけて、翌日またそれを出して、言った。

「アルコールが抜けちゃうんじゃないの?」

「アルコールは抜けないけど、気が抜けちゃう」

お寺の山門によく「不許葷酒《くんしゅ》入山門」と書かれた石柱が建っている。「葷」とは匂いの強いニラなどの野菜のことで、全体の意味は「匂いの強い野菜や酒の匂いをさせた者は、山門に入ることを許さず」となる。これを、

「許さざるに、葷酒山門にいる」

と読んだ不届き者がいる。

[都々逸から]

『お酒飲む人　花なら蕾《つぼみ》　今日もさけさけ　あすもさけ』

［酒の歌人・若山牧水の歌2首］

『酒やめて代はりに何か楽しめといふ医者の面《つら》に鼻あぐらかけり』
『白玉の歯にしみとほる秋の夜の酒は静かに飲むべかりけり』

［酒に関する迷歌3首、および枕詞を見事に操った4句（首）］

「飲み過ぎし翌朝　断酒の誓いして　あかねさす日に酒が目覚める」
「座るとは　飲めに等しく　朝も夜も飲むこと繁く　座る間もなし」
「痴呆除け　酒こそ一番　血はめぐり　口も達者に　足も酔々」

「ぬばたまの酔い心地なり　春の夕」
「千早ぶる神さん　既に床の中」
「垂乳根の叶《かのう》姉妹や　ビール飲む」
「しろたへのパンツも黄ばむ　熱暑かな」　（この作者はいずれも福島　剛）

［気になる言い回し］

最近、気になる表現が多く、あれでいいのかなと思うことが多い。例えば「ヤバい」ひと言で、いろいろな感情表現を済ませてしまうなど、言葉の貧困さを象徴しているようで、将来の日本が心配になる。

「…し」で話を継いでいく人が多いことも気になる。最初に気付いたのがフィギュアスケートの羽生結弦である。彼は「…し、…し」と、類似の事柄を並べて示す時に使う接続助詞の「し」を盛んに使う。彼は、饒舌《じょうぜつ》なくらい話はうまく、語彙《ごい》も豊かな人なのに、「こんな人までが…」と残念な気がする。

相撲の稀勢の里はさらに頻繁に「し」で話を繋いでいく。

「運動神経もありますし、勘もいいですし、粘りもありますし…」

と次々「し」を並べて話す。

「し」に代わる言葉は無数にある。「また、それに、さらに、その上、なお、かつ、しかも、それに加えて、そればかりか、あまつさえ…」

なぜこれらの言葉を使わないのだろうか。これらを使い分けることによって、言いたいことがいっそう鮮明になる（し）、相手に与える印象も強くなる（し）…。

「…し」は、ワンセンテンスに1回の使用が適当なところではなかろうか。

「なんか」という言葉も気になる言葉で、あまり瀕用《ひんよう》すると、その人の品性や表現力不足を露呈しているように思われてしまう。若者の専用語で私自身は使うことはないと思っていたのだが、後で見てみるとちゃっかり使ったりしている。

「よくは分からないのだけど」とか「良い表現が見つからないのだけど」というようなニュアンスがあるので、これらに言い換えた方がいいかもしれない。

いずれにしても瀕用は避けるべきで、これもワンセンテンスで1回の使用くらいにすべきであろう。

「差別化」も気になる言葉である。「差別」は元々マイナスイメージを伴っていて、良いことや優れたものにはあまり使わないのではなかろうか。広辞苑にも、

「差をつけて取り扱うこと。分け隔てをすること。正当な理由がなく劣ったものとして不当に扱うこと」

とある。よく「入試で男女差別」とか「人種差別撤廃」とか「差別的雇用」などと使われる。

にもかかわらず、テレビなどでは当然のこととしてこの差別化を「良い意味」として使っている。今日もＮＨＫで、ホテルの部屋の仕様やケーキ・果物作りなどにおけるより良い工夫を、盛んに「差別化を図る、差別化を図る」と使っていた。「他とは異なる特色、特徴を出す」などと言うべきではないだろうか。

「…になります」も気になる。ラーメン屋などに行くと店員が盛んに使う。出来立てのラーメンを運んできて、「ラーメンになります」とごく普通に言う。普通でない私には異様な感じがしてならない。

「まだラーメンになっていないってこと?」
「しばらく置いておくとラーメンになるってこと?」

などと要《い》らざる憶測をしてしまう。

今度、精算する時に「これがお代になります」と言ってみよう。

……になります

神奈川新聞の投書欄に、役所の窓口の職員が、高齢のご夫婦に対して上から目線で「だから今申し上げたように…」と繰り返すばかりの光景を見て、「だから」という言葉の持つ問題点を鋭く指摘する意見が出ていた。要約すれば、
「『だから』は自分の考えを押し付ける前置きでしかなく、相手の物分かりの悪さを非難する気持ちが込もり、謙虚さを初めから欠いた言葉でもある」
となろう。

しみじみ同感で、私自身、何度もこの「だから」で苦い思いをしている。

以前は、胃のがん検診は「M」という内科医でしていたが、今は別の医者に変えてしまった。この「だから」が原因である。

ある時、私がよく分からない点があったので、医者に聞き返した。すると、
「だから言ったろ。聞いていないのか」
とひどく荒っぽく言われてしまった。この言葉であの医者に引導を渡した。

そもそも医者の言うことを聞いていない患者などいるだろうか。患者は、胃がんになったら大変だと思って受診しているのだ。従って、医者の言うことは片言隻句《へんげんせっく》聞き漏らすまいと真剣になっている。それを「聞いていないのか」はない。何度も聞いたのであれば、

痛に障ることもあろうが、1回聞き返しただけなのだ。

そもそも聞き返すということは、医者の言葉がよくのみ込めなかったか、あるいは医者の説明が不十分であったかのどちらかである。にもかかわらず「だから言ったろ。聞いていないのか」は、患者の人格を無視している言葉にほかならない。と同時に、本来、患者に対して優しくあるべき医師としての資格を欠いていると言われても仕方がない。

「だから」は、相手への配慮を欠くもとになりやすい。だから誰しも心しなければならない。


最近は差別用語に悩まされることが多くうっかりしたことは言えない。「糞味噌《くそ》」と言うのもいけないのだそうだ。「味噌」に失礼に当たるからだそうだが、でも「糞」も大事なもので、「糞に失礼に当たるから」と言わないと差別になる。

「裏日本」も差別用語という。でも、裏と表は表裏一体で、「裏」とか「奥」とかはなくてはならないもの。「裏方」「裏打ち」、「奥方」「奥深い」…。裏・奥があってこそ表が力を十分発揮する。


つい興奮気味に洒落とは無縁の硬い話になってしまったが、最後はリラックスして、可《お》笑《か》しな表現と最近のニュースなどから。

「どこに出しても恥ずかしい顔」

「お年頃のおばあさん」

「『上り坂』という名の道」

「どうぞお酒をいただいてください」

「一睡もしないで一晩中寝てしまった」

「振袖」～これは腕の筋肉がたるんでいる女性のこと

以前、同僚の教師に可笑《おか》しな人がいて、手紙を書こうとしたが、良い時候の言葉が出てこない。そこでみんなに何か良い言葉がないかと聞いている。「え、なに？『秋も深まりまして…』、おお、それは良い。それにしよう。『秋も深まりまして、栗のイガが心に痛く感じる頃となりました』…と」

一昨年（2019年）の台風で屋根の瓦を損壊した人が修理の見積もりをしてもらった。その額、なんと〝350万円〟。「わ！　こんなに高いの！」。すると、業者、「屋根はどうしても高くなります」

昨年（2020年）、台風10号襲来に当たって、気象庁は「今まで経験したことがないほどの超大型台風」と何度も何度も「早めの避難を！」「早めの避難を！」と国民に注意を喚起《かんき》した。ところが、台風が過ぎ去ってみると、家屋の倒壊も心配された河川の氾濫や高潮による被害も皆無《かいむ》であった。この結果をもって、

「気象庁の報道は大げさすぎたのではないか。避難しないで済んだのに」

などと非難しない方がいい。

（3）この章のまとめ

和歌における「掛詞」は、音《おん》の同じ二つの言葉の一方が自然の風景を、一方が人間の心理や行為を表すことが多い。そしてその二つの言葉は、時に拮抗《きっこう》し、時に響き合いながら、最終的には二つを融和させていく、という修辞法で、仮名文化の国だからこそ可能な技法である（谷知子『和歌文学の基礎知識』角川選書　参照）。

たとえば、「松」と「待つ」を考えてみよう。単なる松は自然の一点景にすぎないが、「待つ」という人の行動と関わった時には、俄然《がぜん》その姿を変えていく。松は常盤《ときわ》の樹木で「千歳《ちとせ》の松」とか「松が枝の歳久し」などと表現され、「いつまでもいつまでも永久《とわ》に」

という意味を伴う。

これが「待つ」と拮抗し響き合って、

「来るか来ないか分からない冷たい男を、いつまでもいつまでも待つ」

という女の悲しみの感情を引き出し、恋の不毛の悲嘆として二つが融和されていく。

古今の歌人たちは、二つの言葉の拮抗、響き合い、融和を、いかにして表現するかに心血を注いできた。その結果、優れた歌が数多く生み出された。

参考に江戸小咄で見てみよう。

大店のお嬢さまが煙管《きせる》でタバコを吸いながら、夕べの空を眺めていると、雁が飛び渡っていくのが見えた。婆やを呼んで、

「ほら、婆や、ガンが飛んでいくわよ」

それを聞いた婆や、「お嬢さま、ガンなどと言わずに、カリとおっしゃってください。品位に関わりますからね」

なるほどと納得したお嬢さま、煙管を火鉢の端でポンと叩くと、雁首《がんくび》が外れて火鉢の中に飛んで行った。また、婆やを呼んで、

「ほら、婆や、カリクビが飛んで行ったわよ」

この小咄を成り立たせているのは、「雁」に「カリ」と「ガン」という二つの読みがあることだ。「空行く雁」は自然の一点景であるが、それが「煙管の雁首」と関わると趣が変わってくる。婆やの意見を聞いたことで、お嬢さまの頭の中では「ガン」と「カリ」とが拮抗し響き合う。そしてやがては「でも婆やがせっかくああ言うのだし、確かに大店の娘としての品位は保たなければならない」ということで、煙管の「ガンクビ」は「カリクビ」に収斂《しゅうれん》していく。

掛詞とは異なるが、一つの漢字に二つの音があるという日本語の特徴を使って、見事な洒落に仕上げている。

でもこのお嬢さま、これからが大変。「雁行」は「かりこう」、「雁木」は「かりぎ」、「雁擬《がんもど》き」などは「かりもどき」と言わなければならなくなる。

このように世界でも稀な日本語の特色は、日本人に

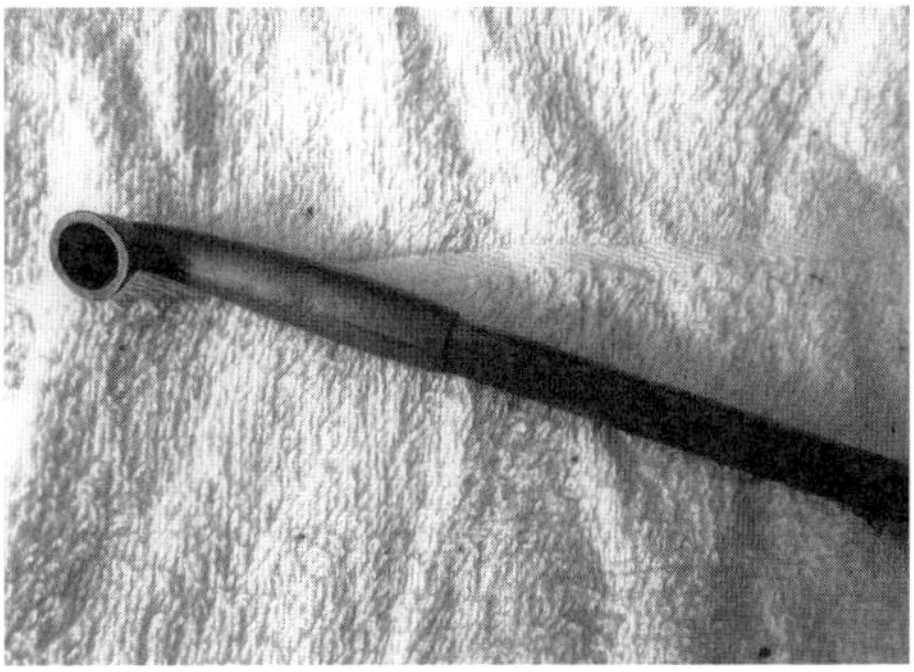

これが「カリクビ（雁首）」

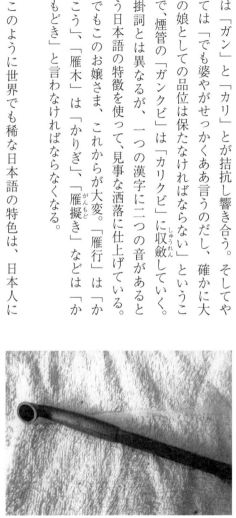

繊細な心を育み、優れた和歌や小咄、あるいは多彩な言葉を生み出してきた。

先の私自身の洒落を見てみると、安易な掛詞を使った駄洒落の域を出ていないものか、皮肉な言い回し程度に終わっているものが多く、いかに「洒落」というものが難しいかを実感させられる。

こんな駄洒落《だじゃれ》を同じ相手に同じように飛ばしていては、いずれ無視されるか馬鹿《ばか》にされるから、程を弁《わきま》えた方が無難である。いや、家では言わない方が夫婦関係を長持ちさせる。私の妻などは、今では完全に無視していて、できれば早く寝てしまってほしいというような顔をしている。

ただ、私の場合は、優れた和歌や高級な小咄を作ろうとして言っているわけではないから、駄洒落にすぎないとしても、それはそれで許されるだろうと自己容認している。

たとえ不出来な洒落でも、その場を和やかにすることはよくあることだし、またそれが「三密」をますます密にすることにつながることも事実である。それに若大将ではないが、洒落が若さを保つ秘訣《ひけつ》になるのではとか、頭の健康を保つ要素になるかもとか思うとやめられない。

周囲にあまり気兼ねせずに、やっぱりこれからも懲《こ》りずに飛ばしていこう。

おわりに

輸出管理上の優遇対象国から韓国を外したことに対して、韓国の文在寅大統領は日本のことを、

「盗人猛々《たけだけ》しい」

と激しい口調で非難した。前後の経緯はともかくとして、文大統領がいかに余裕をなくしているかを証明する言葉と言える。余裕のないところに適切な言葉は生まれない。

これに対して日本も、

「無礼である」

「僭越《せんえつ》である」

という無粋な言葉で応じてしまった。これも余裕のない表れと言われても仕方がない。一歩退いて、

「盗人にも三分の理がありまして…」

などと洒落てみたら、今の二進《にっち》も三進《さっち》もいかない日韓関係が少しは改善していたかもしれない。

神はあらゆる生き物にそれぞれ素晴らしい能力を与えた。鼠には素早い動作を、牛には力強さを、虎には威厳を、兎には愛らしさを、鳥には大空を飛び、魚には水中を泳ぐ力を。そして人間には自分の意志や感情を相手に的確に伝える「言葉」という利器を与えてくれた。明るく心豊かに生きたいというのは万人の願いであろう。それを可能にするのは言葉である場合が多い。平安時代や江戸時代に人々は言葉を駆使して、洒落や滑稽を生み出し、彼らの生活に潤《うるお》いを創出してきた。その姿勢をいつの時代も忘れてはならない。

毎年8月15日前後は戦時中の事情を伝える暗く痛ましい報道が多く、テレビも新聞もそのことで満艦飾になる。もちろんそれは仕方のないことではあるが、明るいニュースも少しは入れる必要があるのではなかろうか。

そんなことを思っていた昨年（２０２０年）８月、ＮＨＫでさまざまな人々の生き方が報道されていた。その中の50歳代の男性の言葉に心が癒やされた。彼はＩＴ企業に長年勤めていたが、一念発起して会社を辞め農業に携《たずさ》わることにした。その成果であるナスやキャベツが映し出され、その畑を指さしながらＩＴ氏はこう言う。

「畑違いですが…」

思わず笑ってしまった。この余裕が素晴らしいナスやキャベツを作らせたのだろう。どんな時にもこの余裕を失ってはいけない。余裕から洒落が生まれ笑いが生まれる。

我々の祖先はそれを追い求めてきた。たまたま日本語には掛詞や縁語など独特な表現法があり、また漢字には音・訓読みがあるという洒落を生み出すには絶好な条件が揃《そろ》っている。我々は今、日本の歴史の中でも珍しいほど平和な世紀に生きている。ただ神の与えてくれた利器（ことば）や日本語の特性を有効に生かしているかと言えば「ノー」と言うしかない。こういう時代にこそ、言葉を通したおおらかな笑いが必要なのではなかろうか。それでこそ本当の平和と言えるのだ。

この本の中でくすりと笑える話や心のわだかまりがさぁーと流されるような話があっただろうか。もし少しでもあったとすれば幸いである。またそれを何かの機会に使っていただければ嬉しい限りである。

志ん生の「（落語は）物事が丸く収まる（元である）」という言葉を思い起こそう。「洒落」も同じで、この本が「物事が丸く収まる」ための一助になってくれることを願って終わりの言葉とする。

今回も関戸弘文氏には、私の本に見事にマッチした洒落た滑稽なイラストを描いていただきましたこと、深く感謝いたします。

参考文献

古今集　日本古典文学大系　岩波書店
源氏物語　同　同
枕草子・紫式部日記　同　同
平家物語　同　同
蕪村集・一茶集　同　同
川柳・狂歌　同　同
紫式部日記・和泉式部日記　日本の古典　小学館
リンボウ先生のうふふ枕草子　林望　祥伝社
日本の樹木　西田尚道　学習研究社
日本の野鳥　竹下信雄　小学館
野鳥の名前　安部直哉　ヤマケイ文庫
読本・俳句歳時記　産調出版
暮らしの中の日本語　池田弥三郎　筑摩書房
狂歌川柳表現辞典　遊子館
江戸小咄辞典　東京堂出版
中国笑話集　講談社文庫

落語で江戸を聴く　槇野　修　ＰＨＰ研究所
大江戸庶民事情　石川英輔　講談社
現代人の仏教　増谷文雄　筑摩書房
歌よみに与ふる書　正岡子規　岩波文庫
万葉秀歌　斎藤茂吉　岩波新書
歌舞伎ハンドブック　三省堂
ブルタニカ国際大百科事典　ブルタニカジャパン
日本歴史大事典　小学館
一本の茎の上に　茨木のり子　ちくま書房
茨木のり子（花神ブックス）　花神社
現代短歌の鑑賞１０１　小高賢編著　新書館
鑑賞日本の名歌　角川学芸出版
わが秀歌鑑賞　高野公彦　角川学芸出版
琵琶湖・若狭湾（Ｕガイド）　檀上完爾　昭文社
勝てるメンタル　原晋　共著　ｋａｄｏｋａｗａ
なめくじ艦隊　古今亭志ん生　ちくま文庫
和歌文学の基礎知識　谷　知子　角川選書
洒落に魅かれて　福島　剛　幻冬舎ＭＣ